KB186296

大方廣佛華嚴経行願品

다길 김경호

불자들아,

항상 한결같은 마음으로 대승의 경과 율을 받아 지니고 읽고 외우며, 가죽을 벗겨서 종이를 삼고、뼛 속의 기름으로 벼루의 물을 삼고、뼈를 쪼개어 붓을 삼아서 부처님의 계를 사경하여야 하며、나무껍질과 종이와 비단과 흰 천과 대에 사경하여 지니되 칠보와 좋은 향과 온갖 보배로 주머니나 함을 만들어 경전과 율문을 보관해야 하느니라.

이같이 법답게 공양하지 아니하면 죄가 되느니라.

〈범망경 보살계본〉

다길 김경호 쓴 전통사경 **1**

화엄경 보현행원품

제1부

대한불교조계종
제19교구본사 智異山大華嚴寺

발간사

　30여년 前 출가하기 위해 華嚴도량에 들어서면서 모든 것이 낯설었던 시간이 생각납니다. 조석예불마다 覺皇殿 부처님의 장엄한 모습에서 出家本分事를 되돌아보았다면 언제나 편안하게 다가오던 보제루의 華藏이라는 두 글자는 華嚴行者의 어려움을 견뎌낸 어머니의 품과도 같은 추억이었습니다. 그리고 기억에 남은 또 하나의 장면은 도량 한 구석에 수북하게 쌓여서 잊혀진 歷史로만 존재했던 華嚴石經의 破片들이었습니다. 언젠가는 좋은 인연들의 願力을 하나로 모아 華藏世上의 근본도량으로 丈六殿 華嚴石經을 復元하리라는 꿈같은 誓願을 세워본 시절이었습니다.

　경자년 새해를 맞아 신라백지묵서화엄경과 화엄석경의 오랜 사경 전통이 살아있는 華嚴寺에서 그 誓願의 첫걸음으로 傳統寫經院을 개원하면서 국내 최고의 寫經法師이신 김경호 선생님을 모시고 사경강좌를 개설하게 된 것은 문수보살이 선재동자에게 맺어준 善根因緣功德이라 생각합니다. 寫經은 단순하게 부처님의 말씀을 글자로 옮겨 쓰는 일이 아니라 부처님의 삶과 사상을 우리의 몸과 마음으로 체화하는 지극한 祈禱로서 자기 修行이자 또 다른 成佛의 길입니다. 寫經行者들이 한 마음으로 부처님의 法音을 담고자 하는 誓願을 붓 끝에 깊이 새겨서 많은 衆生들의 마음속에 살아있는 佛性을 보여준다면 그것이 바로 사경수행의 正法眼藏이라 할 수 있을 것입니다. 나아가 華嚴世上을 장엄하는 無心한 그 붓 끝에서 마음·부처·중생이 서로 共感하고 共鳴하는 慈悲喜捨의 墨香이 온 세상으로 퍼져나갈 것임을 믿어 의심치 않습니다.

　이 좋은 강좌를 위하여 직접 체본을 바탕으로 훌륭한 사경책자 『華藏』을 제작해주신 김경호 선생님과 화엄선재불교연구소 실무자들에게 감사의 말씀을 드리며 올 한해 화엄원에서 진행되는 사경강좌가 衆生들의 걸림 없는 佛心을 깨우쳐 주는 無量功德으로 원만하게 회향되기를 부처님 전에 다시 한번 간절히 기원합니다. 저 자신부터 올 한해는 신라백지묵서화엄경을 사경하신 연기스님의 마음이 되어 각황전 부처님 전에 두 손 모아 사경발원문을 올립니다.

我今誓願盡未來　　所成經典不爛壞

假使三灾破大千　　此經与空不散破

若有衆生於此經　　見佛聞經敬舍利

發菩提心不退轉　　修普賢因速成佛

내가 사경한 이 경전이 오래도록 전승되기를 일념으로 서원하면서

만일 큰 재난으로 삼천대천세계가 부서진다 해도

이 사경은 허공과도 같아서 훼손되지 말지어다

그래서 모든 중생들이 이 경전을 의지하여

부처님을 뵈옵고, 법문을 들으며, 사리를 받들어 모시고,

불퇴전의 자세로 보리심을 내어서

보현보살 행원으로 속히 성불하기를 기원하옵니다

佛紀 2564(2020)年　庚子年　元旦

대한불교조계종 제19교구본사 화엄사주지 草岩 德門 합장

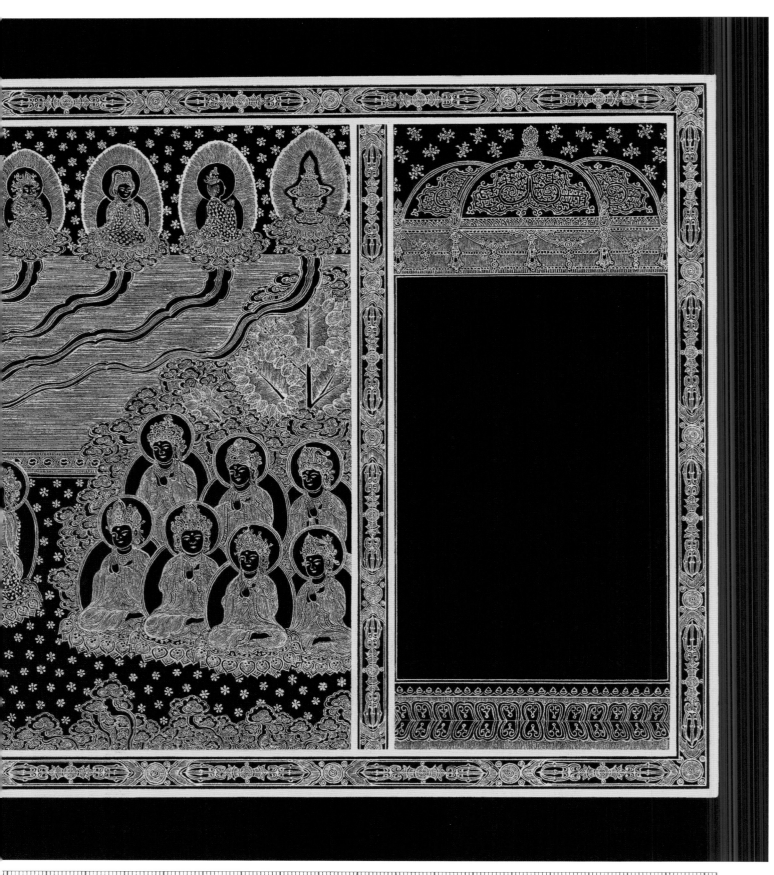

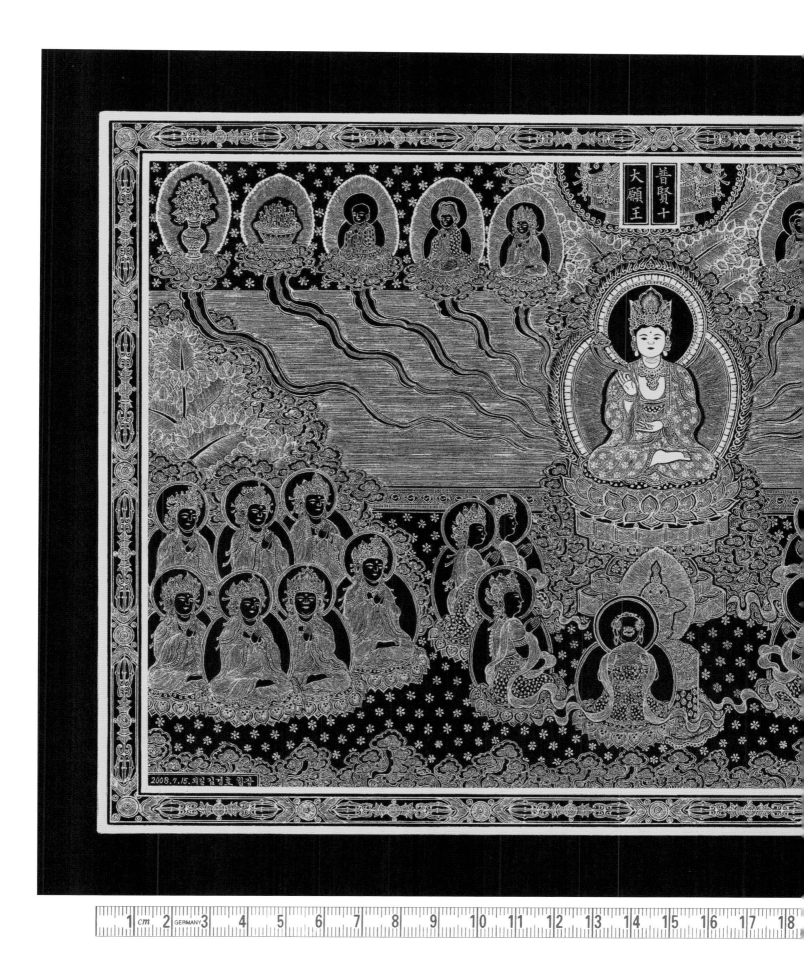

〈대방광불화엄경 보현행원품〉 변상도 (19.2 / 38.3cm) 감지, 금분, 녹교, 명반 〔보물 제752호 변상도 리메이크작〕

〈대방광불화엄경 보현행원품〉 33.7 / 816.0cm
감지, 금분, 은분, 녹교, 명반 절첩
각 절면 33.7 / 12.0cm (23.5 / 12.0cm)
사성기장엄난 1절면 33.7 / 12.0cm (23.5 / 12.0cm)
변상도 3절면 33.7 / 36.0cm (23.5 / 36.0cm)
천두 5.6cm, 천지간 23.5cm, 지각 4.6cm
2002년 7월 成了

〈대방광불화엄경 입법계품 大方廣佛華嚴經 入法界品〉에 대하여

〈60권본 화엄경〉과 〈80권본 화엄경〉의 마지막 장으로 〈40권본 화엄경〉이라 명명된다. 내용은 부유한 상인의 아들인 청년 구도자 수다나가 문수보살로 인하여 보리심을 내어 53인의 선지식을 찾아다니는 구도의 여정이다. '선재동자善財童子' 라는 이름은 수다나의 구도 여정이 마치 어린아이와 같이 지극히 순수하고 정성스러웠던 데서 붙여진 명칭이다.

선재동자가 구도 여정에서 만난 53인의 선지식 중에는 많은 수의 여성이 포함되어 있고, 선지식들의 직업 또한 매우 다양하다. 그러한 점에서도 주목을 요한다.

비구인 덕운德雲(1)과 해운海雲(2)과 선주善住(3)와 해당海幢(6)과 선견善見(11), 비구니인 사자빈신師子頻伸(24), 바라문인 승열勝熱(9)과 최적정最寂靜(49), 외도인 변행徧行(20), 장자·거사·소년인 미가彌伽장자(4)와 해탈解脫장자(5)와 자재주自在主동자(12)와 명지明智거사(14)와 법보계法寶髻장자(15)와 무상승無上勝장자(23)와 비슬지라鞞瑟胝羅거사(26)와 변우徧友동자(43)와 선지중예善知衆藝동자(44)와 견고해탈堅固解脫장자(46)와 묘월妙月장자(47)와 무승군無勝軍장자(48)와 덕생德生동자·유덕有德동녀(50), 선인인 비목구사毘目瞿沙선인仙人(8), 왕으로는 무염족왕無厭足王(17)과 대광왕大光王(18), 우바이로는 휴사休捨(왕비)(7), 구족具足(13)과 부동不動(처녀)(19)과 현승賢勝(45), 공주인 자행慈行동녀(師子幢王의 딸)(10)와 천주광천녀天主光天女(33天 正念王의 딸)(42), 의사인 보안普眼장자(16), 향 파는 상인인 우발라화優鉢羅華장자(21)와 뱃사공인 바시라선인婆施羅船人(22), 창녀인 바수밀다婆須蜜多(25), 신으로는 대천신大天神(29)과 안주주지신安住主地神(30)과 바산바연지주야신婆珊婆演底主夜神(31)과 보덕정광주야신普德淨光主夜神(32)과 희목관찰중생주야신喜目觀察衆生主夜神(33)과 보구중생묘덕주야신普救衆生妙德主夜神(34)과 적정음해주야신寂靜音海主夜神(35)과 수호일체성증장주야신守護一切城增長主夜神(36)과 개부일체수화주야신開敷一切樹華主夜神(37)과 대원정진력구호일체중생주야신大願精進力救護一切衆生主夜神(38)과 묘덕원만신妙德圓滿神(39), 부인인 구파瞿波여인(40), 어머니인 마야摩耶부인(41), 그리고 보살로는 문수보살文殊菩薩(52)과 정취보살正趣菩薩(28)과 관자재보살觀自在菩薩(27)과 미륵보살彌勒菩薩(51), 보현보살普賢菩薩(53)이 등장한다.   * ( ) 안의 숫자는 인물이 등장하는 순서

선재동자의 구법 여정은 처음 문수보살로부터 시작하여 51번째 미륵보살을 만나 수기를 받고 52번째 문수보살을 다시 만나 영원한 지혜를 얻으며 마지막으로 보현보살을 만나 10가지의 깨뜨릴 수 없는 최상의 지혜의 법문과 보현행, 원을 모두 얻어 보살의 수행 계위 중 가장 마지막 단계, 즉 온갖 번뇌를 모두 여읜 부처의 자리인 묘각위에 이름으로써 모든 부처님과 평등한 법계에 들어간다는 내용으로 구성되어 있다.

〈입법계품〉에서 제시하는 보살 수행의 계위는 7단계 52위로 구성되어 있다. 가장 낮은 수행의 계위로 보리심을 일으키는 기초적인 단계의 십신위十信位로부터 마음이 가라앉아 침착해지며 보리심이 굳건하여 후퇴함이 없이 보살위에 안주하는 단계인 십주위十住位, 그리고 이타행을 위해 중생 교화에 정진하는 계위인 십행위十行位를 거쳐 자기가 닦은 모든 선근 공덕을 남김없이 중생들에게 되돌려 주는 십회향十廻向, 그리고 보살마하살의 계위인 십지위十地位, 이어 부처가 되기 직전의 선지식 계위인 등각위等覺位, 마지막으로 모든 번뇌를 끊은 부처의 자리인 묘각위妙覺位로 이어진다.

종합하면 지혜를 구함으로부터 출발하여 깨달음을 얻기 시작하고 종국에 문수보살의 지혜로 점검하고 최종적으로는 중생들을 위해 원을 내고 실천하는 보현보살의 수행 과정을 통해 부처와 동일한 계위인 해탈경계에 들어감, 즉 성불하게 됨을 설하고 있는 그야말로 언어도단言語道斷의 지극히 평화롭고 아름다운 경전이라고밖에 표현할 수 없는 최상승 경전이다.

〈대방광불화엄경 보현행원품 大方廣佛華嚴經 普賢行願品〉에 대하여

〈화엄경 보현행원품〉은 〈40권본 화엄경〉 중에서 권제40 〈입부사의해탈경계보현행원품入不思議解脫境界普賢行願品〉만을 따로 분리
하여 1권으로 묶은 책으로 선재동자의 구법 여정 중 마지막으로 보현보살을 찾아갔을 때 보현보살이 설한 법문을 내용으로 하고 있다.
부처님의 무량 공덕을 성취하고자 한다면 보현보살의 10가지의 큰 행원(모든 부처님께 청정한 몸과 말과 뜻을 다해 예배하고 항상 공
경함. 부처님의 한량 없는 모든 공덕을 지극한 마음으로 찬탄함. 갖가지의 공양물로 널리 공양함. 삼독三毒(貪·瞋·癡)으로 말미암아 생
성된 삼업三業(口·身·意業)의 모든 허물을 불보살님께 참회함. 남이 짓는 모든 공덕을 함께 기뻐함. 부처님께서 여러 방편으로 바른 법

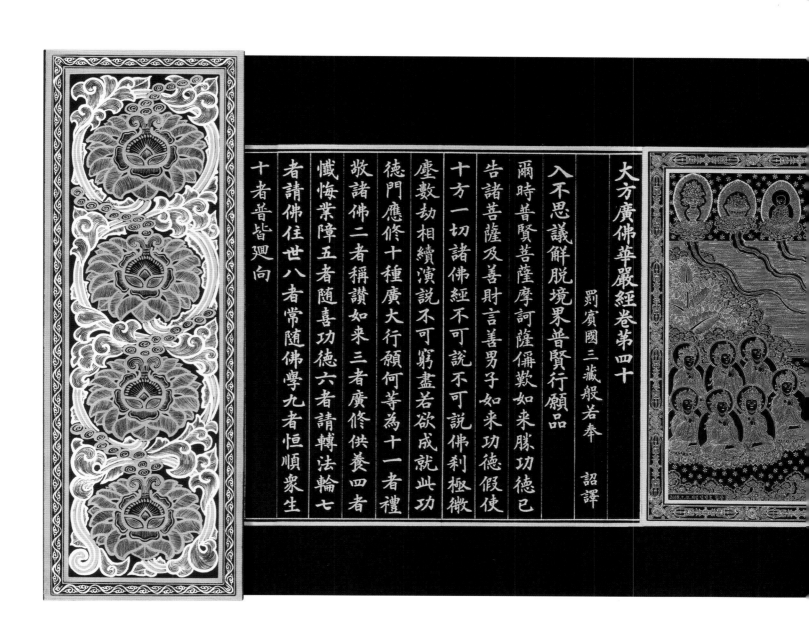

설해 주시기를 청함, 부처님께서 이 세상에 오래 머물면서 일체 중생들을 이롭게 해 주시기를 청함, 항상 모든 부처님을 본받아 배움, 부처님의 자비심과 보리심을 일으켜 중생들을 항상 이롭게 함, 처음 부처님께 예배하고 공경함으로부터 중생을 받들기까지의 닦은 모든 공덕을 중생들에게 남김없이 돌려줌)을 닦아야 하고, 이후 이를 어떻게 실천해야 할 것인지 구분 설명하고 있으며, 이 10대원의 실천이 지닌 공덕의 무량함과 이 10대원을 사경하고 수지, 독송, 위인연설爲人演說하는 사람의 공덕의 무량함에 대해 밝히고 이를 행하는 모든 사람들이 수기를 받고 정각을 이루어 고해 속의 중생을 제도하고 생사를 벗어나 극락왕생하게 될 것임에 대해 설하고 있다.

大方廣佛華嚴經卷第四十

罽賓國三藏般若奉　詔譯

入不思議解脫境界普賢行願品

爾時普賢菩薩摩訶薩偁歎如來勝功德已

告諸菩薩及善財言善男子如來功德假使

十方一切諸佛經不可說不可說佛剎極微

塵數劫相續演說不可窮盡若欲成就此功

德門應修十種廣大行願何等為十一者禮

敬諸佛二者稱讚如來三者廣修供養四者

懺悔業障五者隨喜功德六者請轉法輪七

者請佛住世八者常隨佛學九者恒順眾生

十者普皆廻向

善財白言大聖云何禮敬乃至廻向普賢菩
薩告善財言善男子言禮敬諸佛者所有盡
法界虛空界十方三世一切佛刹極微塵數
諸佛世尊我以普賢行願力故起深信解如
對目前悉以清淨身語意業常修禮敬一一
佛所皆現不可說不可說佛刹極微塵數身
一一身徧禮不可說不可說佛刹極微塵數
佛虛空界盡我禮乃盡而虛空界不可盡故
我此禮敬無有窮盡如是乃至眾生界盡眾
生業盡眾生煩惱盡我禮乃盡而眾生界乃
至煩惱無有盡故我此禮敬無有窮盡念念
相續無有間斷身語意業無有疲厭

復次善男子言偏讚如來者所有盡法界虛

空界十方三世一切剎土所有極微一塵

中皆有一切世界極微塵數佛一一佛所皆

有菩薩海會圍遶我當悉以甚深勝解現前

知見各以出過辯才天女微妙舌根一一舌

根出無盡音聲海一一音聲出一切言辭海

稱揚讚歎一切如來諸功德海窮未來際相

續不斷盡於法界無不周偏如是虛空界盡

眾生界盡眾生業盡眾生煩惱盡我讚乃盡

而虛空界乃至煩惱無有盡故我此讚歎無

有窮盡念念相續無有間斷身語意業無有

疲厭

14

復次善男子言廣修供養者所有盡法界虛
空界十方三世一切佛刹極微塵中一一各
有一切世界極微塵數佛一一佛所種種菩
薩海會圍遶我以普賢行願力故起深信解
現前知見悉以上妙諸供養具而為供養所
謂華雲鬘雲天音樂雲天傘蓋雲天衣服雲
天種種香塗香燒香末香如是等雲一一量
如須彌山王然種種燈酥燈油燈諸香油燈
一一燈炷如須彌山一一燈油如大海水以
如是等諸供養具常為供養善男子諸供養
中法供養最所謂如說修行供養利益眾生
供養攝受眾生供養代眾生苦供養勤修善

根供養不捨菩薩業供養不離菩提心供養

善男子如前供養無量功德比法供養一念

功德百分不及一千分不及一百千俱胝那

由他分迦羅分筭分數分諭分優婆尼沙陀

分亦不及一何以故以諸如來尊重法故以

如說修行出生諸佛故若諸菩薩行法供養

則得成就供養如來如是修行是真供養故

此廣大最勝供養虛空界盡眾生界盡眾生

業盡眾生煩惱盡我供乃盡而虛空界乃至

煩惱不可盡故我此供養亦無有盡念念相

續無有間斷身語意業無有疲厭

復次善男子言懺除業障者菩薩自念我於

16

過去無始劫中由貪瞋癡發身口意作諸惡
業無量無邊若此惡業有體相者盡虛空界
不能容受我今悉以清淨三業徧於法界極
微塵剎一切諸佛菩薩眾前誠心懺悔後不
復造恒住淨戒一切功德如是虛空界盡眾
生界盡眾生業盡眾生煩惱盡我懺乃盡而
虛空界乃至眾生煩惱不可盡故我此懺悔
無有窮盡念念相續无有間斷身語意業無
有疲厭
復次善男子言隨喜功德者所有盡法界虛
空界十方三世一切佛剎極微塵數諸佛如
来從初發心為一切智勤修福聚不惜身命

經不可說不可說佛剎極微塵數劫一切

中捨不可說不可說佛剎極微塵數頭目手

足如是一切難行苦行圓滿種種波羅蜜門

證入種種菩薩智地成就諸佛無上菩提及

般涅槃分布舍利所有善根我皆隨喜及彼

十方一切世界六趣四生一切種類所有功

德乃至一塵我皆隨喜十方三世一切聲聞

及辟支佛有學無學所有功德我皆隨喜一

切菩薩所修無量難行苦行志求無上正等

菩提廣大功德我皆隨喜如是虛空界盡眾

生界盡眾生業盡眾生煩惱盡我此隨喜無

有窮盡念念相續無有間斷身語意業無有

疲厭

復次善男子言請轉法輪者所有盡法界虛

空界十方三世一切佛剎極微塵中一各

有不可說不可說佛剎極微塵數廣大佛剎

一一剎中念念有不可說不可說佛剎極微

塵數一切諸佛成等正覺一切菩薩海會圍

遶而我悉以身口意業種種方便慇懃勸請

轉妙法輪如是虛空界盡眾生界盡眾生業

盡眾生煩惱盡我常勸請一切諸佛轉正法

輪無有窮盡念念相續無有間斷身語意業

無有疲厭

復次善男子言請佛住世者所有盡法界虛

空界十方三世一切佛剎極微塵數諸佛如
来將欲示現般涅槃者及諸菩薩聲聞緣覺
有學無學乃至一切諸善知識我悉勸請莫
入涅槃經於一切佛剎極微塵數劫為欲利
樂一切眾生如是盡空界盡眾生界盡眾生
業盡眾生煩惱盡我此勸請無有窮盡念念
相續無有間斷身語意業無有疲厭
復次善男子言常隨佛學者如此娑婆世界
毗盧遮那如來從初發心精進不退以不可
說不可說身命而為布施剝皮為紙折骨為
筆刺血為墨書寫經典積如須彌為重法故
不惜身命何況王位城邑聚落宮殿園林一

切所有及餘種種難行苦行乃至樹下成大

菩提示種種神通起種種變化現種種佛身

處種種眾會或處一切諸大菩薩眾會道場

或處聲聞及辟支佛眾會道場或處轉輪聖

王小王眷屬眾會道場或處剎利及婆羅門

長者居士眾會道場乃至或處天龍八部人

非人等眾會道場處於如是種種眾會以圓

滿音如大雷震隨其樂欲成熟眾生乃至示

現入於涅槃如是一切我皆隨學如今世尊

毘盧遮那如是盡法界虛空界十方三世一

切佛剎所有塵中一切如來皆亦如是於念

念中我皆隨學如是虛空界盡眾生界盡眾

生業盡眾生煩惱盡我此隨學無有窮盡念

念相續無有間斷身語意業無有疲厭

復次善男子言恒順眾生者謂盡法界虛空

界十方剎海所有眾生種種差別所謂卵生

胎生濕生化生或有依於地水火風而生住

者或有依空及諸卉木而生住者種種生類

種種色身種種形狀種種相貌種種壽量種

種族類種種名號種種心性種種知見種種

欲樂種種意行種種威儀種種衣服種種飲

食處於種種村營聚落城邑官殿乃至一切

天龍八部人非人等無足二足四足多足有

色無色有想無想非有想非無想如是等類

我皆於彼隨順而轉種種承事種種供養如
敬父母如奉師長及阿羅漢乃至如來等無
有異於諸病苦為作良醫於失道者示其正
路於闇夜中為作光明於貧窮者令得伏藏
菩薩如是平等饒益一切眾生何以故菩薩
若能隨順眾生則為隨順供養諸佛若於眾
生尊重承事則為尊重承事如來若令眾生
生歡喜者則令一切如來歡喜何以故諸佛
如來以大悲心而為體故因於眾生而起大
悲因於大悲生菩提心因菩提心成等正覺
譬如曠野沙磧之中有大樹王若根得水枝
葉華果悉皆繁茂生死曠野菩提樹王亦復

如是一切眾生而為樹根諸佛菩薩而為華

果以大悲水饒益眾生則能成就諸佛菩薩

智慧華果何以故若諸菩薩以大悲水饒益

眾生則能成就阿耨多羅三藐三菩提故是

故菩提屬於眾生若無眾生一切菩薩終不

能成無上正覺善男子汝於此義應如是解

以於眾生心平等故則能成就圓滿大悲以

大悲心隨眾生故則能成就供養如來菩薩

如是隨順眾生虛空界盡眾生界盡眾生業

盡眾生煩惱盡我此隨順無有窮盡念念相

續無有間斷身語意業無有疲厭

復次善男子言普皆廻向者從初禮拜乃至

24

隨順所有功德皆悉廻向盡法界虛空界一
切衆生願令衆生常得安樂無諸病苦欲行
惡法皆悉不成所修善業皆速成就關閉一
切諸惡趣門開示人天涅槃正路若諸衆生
因其積集諸惡業故所感一切極重苦果我
皆代受令彼衆生悉得解脫究竟成就無上
菩提菩薩如是所修廻向虛空界盡衆生界
盡衆生業盡衆生煩惱盡我此廻向無有窮
盡念念相續無有間斷身語意業無有疲厭
善男子是爲菩薩摩訶薩十種大願具足圓
滿若諸菩薩於此大願隨順趣入則能成熟
一切衆生則能隨順阿耨多羅三藐三菩提

則能成滿普賢菩薩諸行願海是故善男子

汝於此義應如是知若有善男子善女人以

滿十方無量無邊不可說不可說佛剎極微

塵數一切世界上妙七寶及諸人天最勝安

樂布施爾所一切世界所有眾生供養爾所

一切世界諸佛菩薩經爾所佛剎極微塵數

劫相續不斷所得功德若復有人聞此願王

一經於耳所有功德比前功德百分不及一

千分不及一乃至優波尼沙陀分亦不及一

或復有人以深信心於此大願受持讀誦乃

至書寫一四句偈速能除滅五無間業所有

世間身心等病種種苦惱乃至佛剎極微塵

數一切惡業皆得銷除一切魔軍夜叉羅刹

若鳩槃茶若毘舍闍若部多等飲血噉肉諸

惡鬼神皆悉遠離或時發心親近守護是故

若人誦此願者行於世間無有障碍如空中

月出於雲翳諸佛菩薩之所偁讚一切人天

皆應禮敬一切衆生悉應供養此善男子善

得人身圓滿普賢所有功德不久當如普賢

菩薩速得成就微妙色身具三十二大丈夫

相若生人天所在之處常居勝族悉能破壞

一切惡趣悉能遠離一切惡友悉能制伏一

切外道悉能解脫一切煩惱如師子王摧伏

群獸堪受一切衆生供養又復是人臨命終

時最後刹那一切諸根悉皆散壞一切親屬
悉皆捨離一切威勢悉皆退失輔相大臣宮
城內外象馬車乘珍寶伏藏如是一切無復
相隨唯此願王不相捨離於一切時引導其
前一刹那中即得往生極樂世界到已即見
阿彌陀佛文殊師利菩薩普賢菩薩觀自在
菩薩彌勒菩薩等此諸菩薩色相端嚴功德
具足所共圍遶其人自見生蓮華中蒙佛授
記得授記已經於無數百千萬億那由他劫
普於十方不可說不可說世界以智慧力隨
眾生心而為利益不久當坐菩提道場降伏
魔軍成等正覺轉妙法輪能令佛剎極微塵

28

數世界眾生發菩提心隨其根性教化成熟
乃至盡於未來劫海廣能利益一切眾生善
男子彼諸眾生若聞若信此大願王受持讀
誦廣為人說所有功德除佛世尊餘無知者
是故汝等聞此願王莫生疑念應當諦受受
已能讀讀已能誦誦已能持乃至書寫廣為
人說是諸人等於一念中所有行願皆得成
就所獲福聚無量無邊能於煩惱大苦海中
拔濟眾生令其出離皆得往生阿彌陁佛極
樂世界爾時普賢菩薩摩訶薩欲重宣此義
普觀十方而說偈言
所有十方世界中　　三世一切人師子

我以清淨身語意　一切徧禮盡無餘
普賢行願威神力　普現一切如來前
一身復現剎塵身　一一徧禮剎塵佛
於一塵中塵數佛　各處菩薩眾會中
無盡法界塵亦然　深信諸佛皆充滿
各以一切音聲海　普出無盡妙言辭
盡於未來一切劫　讚佛甚深功德海

以諸最勝妙華鬘　妓樂塗香及傘蓋
如是最勝莊嚴具　我以供養諸如來
最勝衣服最勝香　末香燒香與燈燭
一一皆如妙高聚　我悉供養諸如來
我以廣大勝解心　深信一切三世佛

悲以普賢行願力　　普徧供養諸如来
我昔所造諸惡業　　皆由無始貪恚癡
從身語意之所生　　一切我今皆懺悔
十方一切諸眾生　　二乘有學及無學
一切如来與菩薩　　所有功德皆隨喜
十方所有世間燈　　最初成就菩提者
我今一切皆勸請　　轉於無上妙法輪
諸佛若欲示涅槃　　我悉至誠而勸請
唯願久住剎塵劫　　利樂一切諸眾生
所有禮讚供養福　　請佛住世轉法輪
隨喜懺悔諸善根　　廻向眾生及佛道
我隨一切如来學　　俢習普賢圓滿行

供養過去諸如来　及與現在十方佛

未来一切天人師　一切意樂皆圓滿

我願普隨三世學　速得成就大菩提

所有十方一切刹　廣大清淨妙莊嚴

衆會圍遶諸如來　悉在菩提樹王下

十方所有諸衆生　願離憂患常安樂

獲得甚深正法利　滅除煩惱盡無餘

我為菩提修行時　一切趣中成宿命

常得出家修淨戒　無垢無破無穿漏

天龍夜叉鳩槃荼　乃至人與非人等

所有一切衆生語　悉以諸音而說法

勤修清淨波羅蜜　恒不忘失菩提心

滅除障垢無有餘　　一切妙行皆成就

於諸惑業及魔境　　世間道中得解脫

猶如蓮華不著水　　亦如日月不住空

悉除一切惡道苦　　等與一切群生樂

如是經於剎塵劫　　十方利益恒無盡

我常隨順諸眾生　　盡於未來一切劫

恒修普賢廣大行　　圓滿無上大菩提

所有與我同行者　　於一切處同集會

身口意業皆同等　　一切行願同修學

所有益我善知識　　為我顯示普賢行

常願與我同集會　　於我常生歡喜心

願常面見諸如來　　及諸佛子眾圍遶

於彼皆興廣大供　盡未來劫無疲厭

顯持諸佛微妙法　光顯一切菩提行

究竟清淨普賢道　盡未來劫常修習

我於一切諸有中　所修福智恒無盡

定慧方便及解脫　獲諸無盡功德藏

一塵中有塵數剎　一一剎有難思佛

一一佛處眾會中　我見恒演菩提行

普盡十方諸剎海　一一毛端三世海

佛海及與國土海　我徧修行經劫海

一切如來語清淨　一言具眾音聲海

隨諸眾生意樂音　一一流佛辯才海

三世一切諸如來　於彼無盡語言海

恒轉理趣妙法輪　我深智力普能入
我能深入於未來　盡一切劫為一念
三世所有一切劫　為一念際我皆入
我於一念見三世　所有一切人師子
亦常入佛境界中　如幻解脫及威力
於一毛端極微中　出現三世莊嚴刹
十方塵刹諸毛端　我皆深入而嚴淨
所有未來照世燈　成道轉法悟群有
究竟佛事示涅槃　我皆往詣而親近
速疾周徧神通力　普門徧入大乘力
智行普修功德力　威神普覆大慈力
徧淨莊嚴勝福力　無著無依智慧力

定慧方便諸威力　普能積集菩提力

清淨一切善業力　摧滅一切煩惱力

降伏一切諸魔力　圓滿普賢諸行力

普能嚴淨諸剎海　解脫一切眾生海

善能分別諸法海　能甚深入智慧海

普能清淨諸行海　圓滿一切諸願海

親近供養諸佛海　修行無倦經劫海

三世一切諸如來　最勝菩提諸行願

我皆供養圓滿修　以普賢行悟菩提

一切如來有長子　彼名號曰普賢尊

我今廻向諸善根　願諸智行悉同彼

願身口意恒清淨　諸行剎土亦復然

如是智慧号普賢　願我與彼皆同等
我為徧淨普賢行　文殊師利諸大願
滿彼事業盡無餘　未來際劫恒無倦
我所修行無有量　獲得無量諸功德
安住無量諸行中　了達一切神通力
文殊師利勇猛智　普賢慧行亦復然
我今廻向諸善根　隨彼一切常修學
三世諸佛所稱歎　如是最勝諸大願
我今廻向諸善根　為得普賢殊勝行
願我臨欲命終時　盡除一切諸障碍
面見彼佛阿彌陀　即得往生安樂剎
我既往生彼國已　現前成就此大願

一切圓滿盡無餘　利樂一切眾生界

彼佛眾會咸清淨　我時於勝蓮華生

親觀如來無量光　現前授我菩提記

蒙彼如來授記已　化身無數百俱胝

智力廣大徧十方　普利一切眾生界

乃至虛空世界盡　眾生及業煩惱盡

如是一切無盡時　我願究竟恒無盡

十方所有無邊刹　莊嚴眾寶供如來

最勝安樂施天人　經一切刹微塵劫

若人於此勝願王　一経於耳能生信

求勝菩提心渴仰　獲勝功德過於彼

即常遠離惡知識　永離一切諸惡道

速見如来無量光　具此普賢最勝願

此人善得勝壽命　此人善来人中生

此人不久當成就　如彼普賢菩薩行

往昔由無智慧力　所造極惡五無間

誦此普賢大願王　一念速疾皆消滅

族姓種類及容色　相好智慧咸圓満

諸魔外道不能摧　堪為三界所應供

速詣菩提大樹王　坐已降伏諸魔衆

成等正覺轉法輪　普利一切諸含識

若人於此普賢願　讀誦受持及演説

果報唯佛能證知　決定獲勝菩提道

若人誦此普賢願　我説少分之善根

一念一切悉皆圓　成就眾生清淨願

我此普賢殊勝行　無邊勝福皆迴向

普願沉溺諸眾生　速往無量光佛剎

爾時普賢菩薩摩訶薩於如來前說此普賢

廣大願王清淨偈已善財童子踊躍無量一

切菩薩皆大歡喜如來讚言善哉善哉

爾時世尊與諸聖者菩薩摩訶薩演說如是

不可思議解脫境界勝法門時文殊師利菩

薩而為上首諸大菩薩及所成熟六千比丘

彌勒菩薩而為上首賢劫一切諸大菩薩無

垢普賢菩薩而為上首一生補處住灌頂位

諸大菩薩及餘十方種種世界普來集會一

切刹海極微塵數諸菩薩摩訶薩衆大智舍

利弗摩訶目揵連等而為上首諸大聲聞并

諸人天一切世主天龍夜叉乾闥婆阿脩羅

迦樓羅緊那羅摩睺羅伽人非人等一切大

衆聞佛所說皆大歡喜信受奉行

大方廣佛華嚴経卷第四十

　願以此功德　普及於一切

　我等與衆生　皆共成佛道

佛紀二千五百四十六年七月

延世大學校
東國大學校 社會教育院 教授 龍潭 金景浩 稽首恭書

다길 김경호 쓴 전통사경 **1**

화엄경 보현행원품

제2부

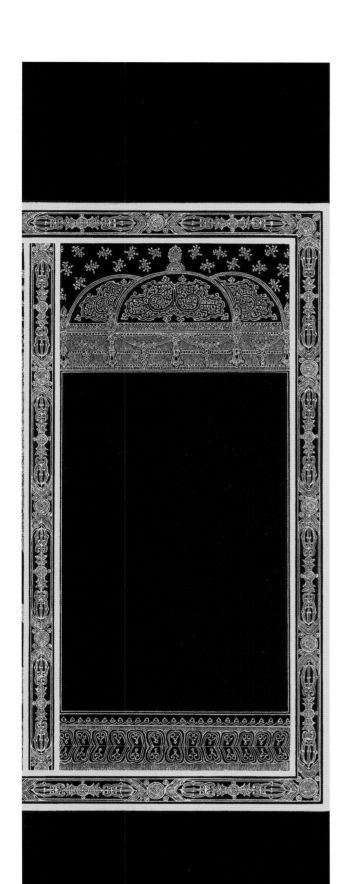

大方廣佛華嚴經卷第四十

罽賓國三藏般若奉　詔譯

入不思議解脫境界普賢行願品

爾時普賢菩薩摩訶薩偁歎如来勝功德已

告諸菩薩及善財言善男子如来功德假使

十方一切諸佛經不可說不可說佛剎極微

塵數劫相續演說不可窮盡若欲成就此功

德門應修十種廣大行願何等為十一者禮

敬諸佛二者稱讚如来三者廣修供養四者

懺悔業障五者隨喜功德六者請轉法輪七

者請佛住世八者常隨佛學九者恒順眾生

十者普皆廻向

48

善財白言大聖云何禮敬乃至廻向普賢菩
薩告善財言善男子言禮敬諸佛者所有盡
法界虛空界十方三世一切佛剎極微塵數
諸佛世尊我以普賢行願力故起深信解如
對目前悉以清淨身語意業常修禮敬一一
佛所皆現不可說不可說佛剎極微塵數身
一一身徧禮不可說不可說佛剎極微塵數
佛虛空界盡我禮乃盡而虛空界不可盡故
我此禮敬無有窮盡如是乃至眾生界盡眾
生業盡眾生煩惱盡我禮乃盡而眾生界乃
至煩惱無有盡故我此禮敬無有窮盡念念
相續無有間斷身語意業無有疲厭

復次善男子言偁讚如来者所有盡法界虛
空界十方三世一切剎土所有極微一一塵
中皆有一切世界極微塵數佛一一佛所皆
有菩薩海會圍遶我當悉以甚深勝解現前
知見各以出過辯才天女微妙舌根一一舌
根出無盡音聲海一一音聲出一切言辭海
稱揚讚歎一切如来諸功德海窮未来際相
續不斷盡於法界無不周徧如是虛空界盡
眾生界盡眾生業盡眾生煩惱盡我讚乃盡
而虛空界乃至煩惱無有盡故我此讚歎無
有窮盡念念相續無有間斷身語意業無有
疲厭

50

復次善男子言廣修供養者所有盡法界虛

空界十方三世一切佛刹極微塵中一一各

有一切世界極微塵數佛一一佛所種種菩

薩海會圍遶我以普賢行願力故起深信解

現前知見悉以上妙諸供養具而為供養所

謂華雲鬘雲天音樂雲天傘蓋雲天衣服雲

天種種香塗香燒香末香如是等雲一一量

如須彌山王然種種燈酥燈油燈諸香油燈

一一燈炷如須彌山一一燈油如大海水以

如是等諸供養具常為供養善男子諸供養

中法供養最所謂如說修行供養利益衆生

供養攝受衆生供養代衆生苦供養勤修善

根供養不捨菩薩業供養不離菩提心供養

善男子如前供養無量功德比法供養一念

功德百分不及一千分不及一百千俱胝那

由他分迦羅分筭分數分諭分優婆尼沙陀

分亦不及一何以故以諸如來尊重法故以

如說修行出生諸佛故若諸菩薩行法供養

則得成就供養如來如是修行是真供養故

此廣大最勝供養虛空界盡眾生界盡眾生

業盡眾生煩惱盡我供乃盡而虛空界乃至

煩惱不可盡故我此供養亦無有盡念念相

續無有間斷身語意業無有疲厭

復次善男子言懺除業障者菩薩自念我於

過去無始劫中由貪瞋癡發身口意作諸惡

業無量無邊若此惡業有體相者盡虛空界

不能容受我今悉以清淨三業徧於法界極

微塵剎一切諸佛菩薩眾前誠心懺悔後不

復造恒住淨戒一切功德如是虛空界盡眾

生界盡眾生業盡眾生煩惱盡我懺乃盡而

虛空界乃至眾生煩惱不可盡故我此懺悔

無有窮盡念念相續无有間斷身語意業無

有疲厭

復次善男子言隨喜功德者所有盡法界虛

空界十方三世一切佛剎極微塵數諸佛如

来從初發心為一切智勤修福聚不惜身命

經不可說不可說佛刹極微塵數劫一一劫
中捨不可說不可說佛刹極微塵數頭目手
足如是一切難行苦行圓滿種種波羅蜜門
證入種種菩薩智地成就諸佛無上菩提及
般涅槃分布舍利所有善根我皆隨喜及彼
十方一切世界六趣四生一切種類所有功
德乃至一塵我皆隨喜十方三世一切聲聞
及辟支佛有學無學所有功德我皆隨喜一
切菩薩所修無量難行苦行志求無上正等
菩提廣大功德我皆隨喜如是虛空界盡眾
生界盡眾生業盡眾生煩惱盡我此隨喜無
有窮盡念念相續無有間斷身語意業無有

疲厭

復次善男子言請轉法輪者所有盡法界虛

空界十方三世一切佛剎極微塵中一一各

有不可說不可說佛剎極微塵數廣大佛剎

一一剎中念念有不可說不可說佛剎極微

塵數一切諸佛成等正覺一切菩薩海會圍

遶而我悉以身口意業種種方便慇懃勸請

轉妙法輪如是虛空界盡眾生界盡眾生業

盡眾生煩惱盡我常勸請一切諸佛轉正法

輪無有窮盡念念相續無有間斷身語意業

無有疲厭

復次善男子言請佛住世者所有盡法界虛

空界十方三世一切佛剎極微塵數諸佛如
來將欲示現般涅槃者及諸菩薩聲聞緣覺
有學無學乃至一切諸善知識我悉勸請莫
入涅槃經於一切佛剎極微塵數劫為欲利
樂一切眾生如是盧空界盡眾生界盡眾生
業盡眾生煩惱盡我此勸請無有窮盡念念
相續無有間斷身語意業無有疲厭

復次善男子言常隨佛學者如此娑婆世界
毗盧遮那如來從初發心精進不退以不可
說不可說身命而為布施剝皮為紙折骨為
筆刺血為墨書寫經典積如須彌為重法故
不惜身命何況王位城邑聚落宮殿園林一

切所有及餘種種難行苦行乃至樹下成大
菩提示種種神通起種種變化現種種佛身
處種種眾會或處一切諸大菩薩眾會道場
或處聲聞及辟支佛眾會道場或處轉輪聖
王小王眷屬眾會道場或處剎利及婆羅門
長者居士眾會道場乃至或處天龍八部人
非人等眾會道場處於如是種種眾會以圓
滿音如大雷震隨其樂欲成熟眾生乃至示
現入於涅槃如是一切我皆隨學如今世尊
毘盧遮那如是盡法界虛空界十方三世一
切佛剎所有塵中一切如来皆亦如是於念
念中我皆隨學如是虛空界盡眾生界盡眾

生業盡眾生煩惱盡我此隨學無有窮盡念

念相續無有間斷身語意業無有疲厭

復次善男子言恒順眾生者謂盡法界虛空

界十方剎海所有眾生種種差別所謂卵生

胎生濕生化生或有依於地水火風而生住

者或有依空及諸卉木而生住者種種生類

種種色身種種形狀種種相貌種種壽量種

種族類種種名號種種心性種種知見種種

欲樂種種意行種種威儀種種衣服種種飲

食處於種種村營聚落城邑官殿乃至一切

天龍八部人非人等無足二足四足多足有

色無色有想無想非有想非無想如是等類

我皆於彼隨順而轉種種承事種種供養如
敬父母如奉師長及阿羅漢乃至如來等無
有異於諸病苦為作良醫於失道者示其正
路於闇夜中為作光明於貧窮者令得伏藏
菩薩如是平等饒益一切眾生何以故菩薩
若能隨順眾生則為隨順供養諸佛若於眾
生尊重承事則為尊重承事如來若令眾生
生歡喜者則令一切如來歡喜何以故諸佛
如來以大悲心而為體故因於眾生而起大
悲因於大悲生菩提心因菩提心成等正覺
譬如曠野沙磧之中有大樹王若根得水枝
葉華果悉皆繁茂生死曠野菩提樹王亦復

如是一切眾生而為樹根諸佛菩薩而為華
果以大悲水饒益眾生則能成就諸佛菩薩
智慧華果何以故若諸菩薩以大悲水饒益
眾生則能成就阿耨多羅三藐三菩提故是
故菩提屬於眾生若無眾生一切菩薩終不
能成無上正覺善男子汝於此義應如是解
以於眾生心平等故則能成就圓滿大悲以
大悲心隨眾生故則能成就供養如来菩薩
如是隨順眾生虛空界盡眾生界盡眾生業
盡眾生煩惱盡我此隨順無有窮盡念念相
續無有間斷身語意業無有疲厭
復次善男子言普皆廻向者從初禮拜乃至

隨順所有功德皆悉廻向盡法界虛空界一切眾生願令眾生常得安樂無諸病苦欲行惡法皆悉不成所修善業皆速成就關閉一切諸惡趣門開示人天涅槃正路若諸眾生因其積集諸惡業故所感一切極重苦果我皆代受令彼眾生悉得解脫究竟成就無上菩提菩薩如是所修廻向虛空界盡眾生界盡眾生業盡眾生煩惱盡我此廻向無有窮盡念念相續無有間斷身語意業無有疲厭善男子是為菩薩摩訶薩十種大願具足圓滿若諸菩薩於此大願隨順趣入則能成熟一切眾生則能隨順阿耨多羅三藐三菩提

則能成滿普賢菩薩諸行願海是故善男子

汝於此義應如是知若有善男子善女人以

滿十方無量無邊不可說不可說佛剎極微

塵數一切世界上妙七寶及諸人天最勝安

樂布施爾所一切世界所有眾生供養爾所

一切世界諸佛菩薩經爾所佛剎極微塵數

劫相續不斷所得功德若復有人聞此願王

一經於耳所有功德比前功德百分不及一

千分不及一乃至優波尼沙陀分亦不及一

或復有人以深信心於此大願受持讀誦乃

至書寫一四句偈速能除滅五無間業所有

世間身心等病種種苦惱乃至佛剎極微塵

數一切惡業皆得銷除一切魔軍夜叉羅刹
若鳩槃荼若毘舍闍若部多等飲血噉肉諸
惡鬼神皆悉遠離或時發心親近守護是故
若人誦此願者行於世間無有障碍如空中
月出於雲翳諸佛菩薩之所俻讚一切人天
皆應禮敬一切眾生悉應供養此善男子善
得人身圓滿普賢所有功德不久當如普賢
菩薩速得成就微妙色身具三十二大丈夫
相若生人天所在之處常居勝族悉能破壞
一切惡趣悉能遠離一切惡友悉能制伏一
切外道悉能解脫一切煩惱如師子王摧伏
群獸堪受一切眾生供養又復是人臨命終

時最後剎那一切諸根悉皆散壞一切親屬

悉皆捨離一切威勢悉皆退失輔相大臣宮

城內外象馬車乘珍寶伏藏如是一切無復

相隨唯此願王不相捨離於一切時引導其

前一剎那中即得往生極樂世界到已即見

阿彌陀佛文殊師利菩薩普賢菩薩觀自在

菩薩彌勒菩薩等此諸菩薩色相端嚴功德

具足所共圍遶其人自見生蓮華中蒙佛授

記得授記已經於無數百千萬億那由他劫

普於十方不可說不可說世界以智慧力隨

眾生心而為利益不久當坐菩提道場降伏

魔軍成等正覺轉妙法輪能令佛剎極微塵

數世界衆生發菩提心随其根性教化成熟

乃至盡於未来劫海廣能利益一切衆生善

男子彼諸衆生若聞若信此大願王受持讀

誦廣為人說所有功德除佛世尊餘無知者

是故汝等聞此頻王莫生疑念應當諦受受

已能讀讀已能誦誦已能持乃至書寫廣為

人說是諸人等於一念中所有行願皆得成

就所獲福聚無量無邊能於煩惱大苦海中

拔濟衆生令其出離皆得往生阿彌陁佛極

樂世界爾時普賢菩薩摩訶薩欲重宣此義

普觀十方而說偈言

所有十方世界中　　三世一切人師子

我以清淨身語意　一切徧禮盡無餘

普賢行願威神力　普現一切如來前

一身復現剎塵身　一一徧禮剎塵佛

於一塵中塵數佛　各處菩薩眾會中

無盡法界塵亦然　深信諸佛皆充滿

各以一切音聲海　普出無盡妙言辭

盡於未來一切劫　讚佛甚深功德海

以諸最勝妙華鬘　妓樂塗香及傘蓋

如是最勝莊嚴具　我以供養諸如來

最勝衣服最勝香　末香燒香與燈燭

一一皆如妙高聚　我悉供養諸如來

我以廣大勝解心　深信一切三世佛

悉以普賢行願力　　普徧供養諸如来

我昔所造諸惡業　　皆由無始貪恚癡

從身語意之所生　　一切我今皆懺悔

十方一切諸衆生　　二乘有學及無學

一切如来與菩薩　　所有功德皆随喜

十方所有世間燈　　最初成就菩提者

我今一切皆勸請　　轉於無上妙法輪

諸佛若欲示涅槃　　我悉至誠而勸請

唯願久住刹塵劫　　利樂一切諸衆生

所有禮讚供養福　　請佛住世轉法輪

随喜懺悔諸善根　　廻向衆生及佛道

我随一切如来學　　修習普賢圓滿行

供養過去諸如來　及與現在十方佛

未來一切天人師　一切意樂皆圓滿

我願普隨三世學　速得成就大菩提

所有十方一切刹　廣大清淨妙莊嚴

眾會圍遶諸如來　悉在菩提樹王下

十方所有諸眾生　願離憂患常安樂

獲得甚深正法利　滅除煩惱盡無餘

我為菩提修行時　一切趣中成宿命

常得出家修淨戒　無垢無破無穿漏

天龍夜叉鳩槃荼　乃至人與非人等

所有一切眾生語　悉以諸音而說法

勤修清淨波羅蜜　恒不忘失菩提心

滅除障垢無有餘　一切妙行皆成就
於諸惑業及魔境　世間道中得解脫
猶如蓮華不著水　亦如日月不住空
悉除一切惡道苦　等與一切群生樂
如是經於剎塵劫　十方利益恆無盡
我常隨順諸眾生　盡於未來一切劫

恒修普賢廣大行　圓滿無上大菩提
所有與我同行者　於一切處同集會
身口意業皆同等　一切行願同修學
所有益我善知識　為我顯示普賢行
常願與我同集會　於我常生歡喜心
願常面見諸如來　及諸佛子眾圍遶

於彼皆興廣大供　　盡未来劫無疲厭

顯持諸佛微妙法　　光顯一切菩提行

究竟清淨普賢道　　盡未来劫常修習

我於一切諸有中　　所修福智恒無盡

定慧方便及解脫　　獲諸無盡功德藏

一塵中有塵數刹　　一一刹有難思佛

一一佛處眾會中　　我見恒演菩提行

普盡十方諸刹海　　一一毛端三世海

佛海及與國土海　　我徧修行經劫海

一切如来語清淨　　一言具眾音聲海

随諸眾生意樂音　　一一流佛辯才海

三世一切諸如来　　於彼無盡語言海

恒轉理趣妙法輪　　我深智力普能入

我能深入於未來　　盡一切劫為一念

三世所有一切劫　　為一念際我皆入

我於一念見三世　　所有一切人師子

亦常入佛境界中　　如幻解脫及威力

於一毛端極微中　　出現三世莊嚴剎

十方塵剎諸毛端　　我皆深入而嚴淨

所有未來照世燈　　成道轉法悟群有

究竟佛事示涅槃　　我皆往詣而親近

速疾周徧神通力　　普門徧入大乘力

智行普修功德力　　威神普覆大慈力

徧淨莊嚴勝福力　　無著無依智慧力

定慧方便諸威力　普能積集菩提力

清淨一切善業力　摧滅一切煩惱力

降伏一切諸魔力　圓滿普賢諸行力

普能嚴淨諸剎海　解脫一切眾生海

善能分別諸法海　能甚深入智慧海

普能清淨諸行海　圓滿一切諸願海

親近供養諸佛海　修行無倦經劫海

三世一切諸如來　最勝菩提諸行願

我皆供養圓滿修　以普賢行悟菩提

一切如來有長子　彼名號曰普賢尊

我今迴向諸善根　願諸智行悉同彼

願身口意恒清淨　諸行剎土亦復然

如是智慧号普賢　願我與彼皆同等

我爲徧淨普賢行　文殊師利諸大願

滿彼事業盡無餘　未來際劫恒無倦

我所修行無有量　獲得無量諸功德

安住無量諸行中　了達一切神通力

文殊師利勇猛智　普賢慧行亦復然

我今廻向諸善根　隨彼一切常修學

三世諸佛所稱歎　如是最勝諸大願

我今廻向諸善根　爲得普賢殊勝行

願我臨欲命終時　盡除一切諸障碍

面見彼佛阿彌陀　即得往生安樂刹

我既往生彼國已　現前成就此大願

一切圓滿盡無餘　利樂一切眾生界

彼佛眾會咸清淨　我時於勝蓮華生

親觀如来無量光　現前授我菩提記

蒙彼如来授記已　化身無數百俱胝

智力廣大徧十方　普利一切眾生界

乃至虛空世界盡　眾生及業煩惱盡

如是一切無盡時　我願究竟恒無盡

十方所有無邊刹　莊嚴眾寶供如来

最勝安樂施天人　経一切刹微塵劫

若人於此勝願王　一経於耳能生信

求勝菩提心渴仰　獲勝功德過於彼

即常遠離惡知識　永離一切諸惡道

速見如来無量光　具此普賢最勝願
此人善得勝壽命　此人善来人中生
此人不久當成就　如彼普賢菩薩行
往昔由無智慧力　所造極悪五無間
誦此普賢大願王　一念速疾皆消滅
族姓種類及容色　相好智慧咸圓滿

諸魔外道不能摧　堪為三界所應供
速詣菩提大樹王　坐已降伏諸魔衆
成等正覺轉法輪　普利一切諸含識
若人於此普賢願　讀誦受持及演説
果報唯佛能證知　決定獲勝菩提道
若人誦此普賢願　我説少分之善根

一念一切悉皆圓　成就眾生清淨願

我此普賢殊勝行　無邊勝福皆迴向

普願沉溺諸眾生　速往無量光佛剎

爾時普賢菩薩摩訶薩於如來前說此普賢

廣大願王清淨偈已善財童子踊躍無量一

切菩薩皆大歡喜如來讚言善哉善哉

爾時世尊與諸聖者菩薩摩訶薩演說如是

不可思議解脫境界勝法門時文殊師利菩

薩而為上首諸大菩薩及所成熟六千比丘

彌勒菩薩而為上首賢劫一切諸大菩薩無

垢普賢菩薩而為上首一生補處住灌頂位

諸大菩薩及餘十方種種世界普來集會一

切剎海極微塵數諸菩薩摩訶薩衆大智舍
利弗摩訶目揵連等而為上首諸大聲聞并
諸人天一切世主天龍夜叉乾闥婆阿脩羅
迦樓羅緊那羅摩睺羅伽人非人等一切大
衆聞佛所說皆大歡喜信受奉行

大方廣佛華嚴經卷第四十

願以此功德　普及於一切
我等與衆生　皆共成佛道

佛紀二千五百四十六年七月
延世大學校
東國大學校　社會教育院　教授　龍潭　金景浩　稽首恭書

我今捨願盡未来
所成經典不爛壞
假使三災破大千
此經與空不散破
若有眾生於此經
見佛聞法敬舍利
發菩提心不退轉
修普賢因速成佛

我今捨願盡未来
所成經典不爛壞
假使三災破大千
此經與空不散破
若有眾生於此經
見佛聞法敬舍利
發菩提心不退轉
修普賢因速成佛

목 차 | CONTENTS

〈사경의 기초이론〉

셋째, 선정이다. 이는 사경의 제1의 목적을 수행에 둘 때에 해당한다. 몸과 마음과 재료 및 도구가 하나가 되는 경계를 추구하는 사경수행의 방법으로 그 어떤 잡념이나 망상의 개입을 용납하지 않는다. 이렇게 선정을 목적으로 하는 사경은 최소한의 儀式을 통해 몸과 마음을 정화하는 과정을 필요로 하고, 가장 청정한 재료와 도구로써 정해진 시간에 정해진 장소에서 규칙적으로 사경에 임하는 것을 기본으로 한다. 佛心經과 功德經이 여기에 해당된다.

넷째, 보시이다. 보시 중에서도 법보시를 목적으로 사경을 할 때가 여기에 해당한다. 법보시는 크게 사경을 하면서 중생들의 행복을 발원하는 무외시적인 보시와 사경수행의 결과물로 얻어진 사경작품을 보시하는 경우의 둘로 나뉜다. 전자의 경우에는 내면을 우선시하기 때문에 백지묵서 사경도 무방하다. 그러나 후자의 경우에는 사경작품이 전해지는 자에게 직접적으로 외적인 아름다움과 기쁨과 평화를 주는 보시가 되기 때문에 다양한 재료의 사용을 요구하기도 한다. 즉 예술적인 요소가 담긴 사경으로 莊嚴經이 여기에 해당한다.

다섯째, 염불이고 간경이며 독경이다. 사경을 하면서 부처님의 위대한 발자취와 진실된 가르침을 생각하기 때문에 사경 그 자체는 염불이 된다. 그리고 사경을 하면서 경전의 한 글자 한 글자의 의미를 새기며 서사하는 간경, 사성 후 오탈자를 확인하며 읽는 일은 독경이 된다. 이렇게 염불과 간경, 독경을 목적으로 사경수행을 할 경우, 최상의 의식을 추구하는 것이 좋다. 佛心經이 여기에 해당한다.

여섯째, 인욕과 정진이다. 사경수행은 오랜 시간 동안 한 치 흐트러짐이 없는 몸가짐과 마음가짐을 바탕으로 한다. 매일매일 시간을 정해놓고 장엄된 청정한 공간에서 꾸준히 사경을 하는 그 자체가 자신을 극복하는 수행이 되고, 이러한 수행의 과정은 습관이 되어 정진력을 증강시킨다. 이러한 목적의 사경수행은 최상의 형식을 필요로 한다. 최상의 형식을 갖추는 과정이 바로 인욕이자 정진이기 때문이다. 佛心經과 莊嚴經이 여기에 해당한다.

일곱째, 지혜이다. 사경은 삼매 속에서 명경지수와 같은 법성을 비추어 보는 수행법이기 때문에, 사경수행시 청정한 지혜가 매 순간 명징하게 드러난다. 그리하여 당면한 현실적인 문제를 원만히 해결해 주어 사경수행자에게 기쁨과 평화를 가져다 준다. 궁극적으로는 이웃과 사회를 화합케 하고 중생들을 이익되게 하며 사경수행자에게 직접적으로 진리를 증득케 해 준다. 佛心經이 여기에 해당한다.

여덟째, 법사리의 조성이다. 예로부터 사경수행을 통해 얻어진 경전은 법신사리로 존숭되어 불상의 복장이나 불탑의 핵심 요소로 봉안되어 왔다. 즉 부처님께 올리는 공양물 중 최상의 가치를 지닌 聖寶로 여겨졌던 것이다. 사경의 과정에서 내면에 본래부터 갈무리 되어 있던 순수한 부처와 진리인 법체를 형상화 한 결과물이기 때문에 신앙인들에게 예배 대상인 법사리로 존숭되어 온 것이다. 供養經이 여기에 해당한다.

아홉째, 예술작품의 창작이다. 사경은 조상들이 물려 준 세계에 당당히 내세울 수 있는 값진 불교 수행법이자 고고한 정신세계를 담은 예술 창작행위이다. 특히 우리 조상들은 세계 최초로 목판인쇄술과 금속활자를 개발하였고, 고려시대에는 금자대장경 은자대장경목판대장경을 10회 이상 사성하였으니 그 가치와 의의는 세계 문화예술사 속에서 논의되어야 한다. 이렇게 조상들이 남긴 사경의 전통을 계승, 발전시킴으로써 세계의 많은 이들에게 감동을 주고 마음을 아름답게 변화시키는 것을 목적으로 하는 경우가 이에 해당한다. 장엄경이 여기에 해당한다.

열째, 한자 학습과 세자 연습이다. 집중을 통해 효과적으로 한자를 습득하고 사경의 과정에서 여러 가지 文氣를 기르며 세자의 연습을 통해 보다 아름다운 글씨를 쓰기 위한 목적에서 사경을 하는 경우이다. 이러한 목적으로 하는 사경도 부처님 진리의 말씀을 방편의 하나로 접할 수 있게 해 준다는 점과 사경을 통해 얻게 되는 한자의 학습, 세자의 연습 또한 많은 이들의 감각과 내면의 아름다움을 고양시킨다는 점에서 그 가치는 결코 간과될 수 없다.

사경실의 장엄

사경은 가장 기본적으로 심신의 청정을 요구한다. 심신이 청정하고 고요하고 편안하면 오롯이 사경에 몰입하여 삼매를 얻을 수 있다. 이렇게 삼매 속에서 사성된 사경 작품에는 사경수행자의 정신적인 에너지가 오롯이 담기게 된다. 즉 사경작품에 담긴 사경수행자의 맑은 정신과 기운이 차후 사경작품을 대하는 모든 이에게 경외심과 환희심을 불러일으키고 심신을 변화시킨다. 이렇게 심신 청정의 바탕 위에서 사성한 사경을 맑은 심신으로 대하고 법답게 공양하는 자가 있다면, 라디오 주파수가 맞을 때 잡음이 없이 맑은 소리로 들리듯 성인의 덕화를 입음과 동시에 맑고 청정한 기운을 얻게 되는 것이다.

이러한 법사리를 사성하는 사경실인 만큼 최대한 여법함을 갖추도록 한다.

1. 사경실의 위치

사경실은 가급적이면 외부인의 출입이 적어 방해를 덜 받는 자리에 위치하도록 한다. 또한 바깥 소음이 그리 많지 않은 고요한 곳을 택한다. 그리고 통풍이 잘 되면서도 햇빛이 잘 들어 밝되 직사광선으로 들지 않는 곳이 좋으며 먼지가 없고 습기가 차지 않는 곳이 좋다. 예컨대 창문을 열었을 경우 직사광선이 바로 든다든지 바깥 먼지가 많이 들어오는 곳이라든지 습기가 많은 벽체는 가급적이면 피하는 것이 좋은 것이다.

2. 사경실의 크기

사경실은 그리 큰 공간을 차지하지 않아도 된다. 전통사경은 대체로 사경지의 크기가 가로 60cm 내외, 세로 30cm 내외인 경우가 많고 바탕지가 이보다 가로로 긴 경우라 하더라도 바탕지의 좌우측을 말아가면서 사성에 임할 수 있기 때문이다. 따라서 사경에 필요한 모든 도구와 비품을 다 구비하여 놓더라도 사경실은 1평 남짓의 여유 공간이면 가능하다.

혹 전용 사경실을 따로 두지 못할 경우에는 공간의 어느 한 부분을 사경의 장소로 지정해 두고 그 장소에서만 사경에 임하는 것이 좋다.

전용 사경의 공간을 정하였다면 그 자리에 전용 經床(사경을 하는 책상)을 항상 펴 놓고 청정히 관리해야 하며 사경에 앞서서는 경상 주변의 청소를 먼저 한다.

3. 사경실에 갖추어 두어야 할 도구와 비품

사경 전용 경상 주위에는 사경에 필요한 제반 도구와 물품들을 가장 청정한 상태로 비치, 정돈하여 두고 어느 때든 사경을 할 수 있도록 만반의 준비를 해 둔다.

사경을 위하여 갖추어 두어야 할 도구와 비품에는 다음과 같은 것들이 있다.

붓, 먹, 벼루, 종이, 문진, 연적, 혹은 정화수를 담아 둘만한 작은 그릇, 향과 향꽂이, 스텐드 등. 이러한 도구들은 경상 위에 가장 청정한 상태로 항상 갖추어 둔다.

이밖에도 지통(종이를 말아 꽂아두는 통), 붓걸이 혹은 필통, 계선을 그을 때 필요로 하는 유리봉과 자, 낙관인, 인주, 경함 등도 가지런히 정돈하여 두고 카세트와 독경테이프, 범패, 명상음악 등을 미리 갖추어 둔다.

🏵 사경 도구의 채택

사경은 기본적으로 성인의 말씀을 서사하는 수행이고, 그 결과물로 남는 서사물, 즉 경전은 법사리의 예술작품이다. 따라서 가장 청정하고 고급의 귀한 재료를 가장 여법하게 사용하고 고귀한 장엄을 하게 되었다.

1. 상징성

사경에 있어서 각각의 재료는 나름대로의 가장 합당한 상징성과 장점을 지니고 있기 때문에 채택되었고, 사경수행은 지고지순한 법신사리를 조성하는 행위이다. 이 법신사리는 부처님 진신사리와 마찬가지로 신앙의 대상이자 예배와 공경, 공양의 대상이기 때문에 최상의 장엄 효과까지도 고려하여 여법하다고 판단이 되었을 경우에만 채택이 이루어진 것이다.

전통사경의 경우 종이의 염색, 서사 재료, 표지와 변상도의 장엄, 경심과 포갑, 경함, 경갑, 경궤에 이르기까지 최상의 장엄에 있어서 모두 경전에 근거함이 중요시 되어 왔다. 즉 부처님 말씀에 어긋나지 않도록 장엄함이 기본인 것이다. 그래서 하나하나의 과정이 그야말로 최상의 수행법이 되는 것이다.

2. 효용성

모든 사경의 재료는 경전의 내용에 입각하여 각각의 상징성을 가장 잘 표현할 수 있는 재료에 대한 꾸준한 탐색과 연구 결과로 채택되었다. 따라서 전통사경을 공부하게 된다면 이러한 재료와 도구에 대한 사용법을 익히게 되어 효용을 극대화 할 수 있다.

오늘날까지도 그 찬란한 자태를 드러내고 있는 사경 유물들을 통해 이러한 사실을 확인할 수 있는데, 이를 위해서는 특별한 학습과 기술적인 연마와 보다 많은 재원을 필요로 한다. 그렇더라도 사경이 법신불을 조성함과 동시에 자신을 진일보하게 하는 수행이기 때문에 최상의 귀한 재료로 청정하고 여법하게 최상의 사경을 하기를 권하고 싶다.

부처님이 왕자의 자리를 버리고 숱한 고행을 극복한 결과로 위없는 깨달음을 얻었음과 험난한 고행의 가시밭길을 걸으면서 진리의 말씀을 전하셨음을 항상 생각하고 사경수행에 임하는 자세가 중요하다.

3. 청정성

사경의 재료와 도구는 기본적으로 청정을 가장 중요한 덕목으로 한다.

현재 우리나라에 전하는 가장 오래된 사경인 신라 백지묵서〈대방광불화엄경〉 사성기를 통해 우리 선조들이 사경에 임할 때 심신의 청정과 더불어 재료의 청정을 어떻게 추구하였는지를 가히 짐작할 수 있다. 그에 의하면 사경에 참여하는 모든 이들은 보살계를 받아야 했는데 이는 마음의 청정에 해당하고, 齋食을 하고 잠시라도 사경을 중단했을 때에는 향수로써 목욕을 한 연후에라야 비로소 사경실에 나아갈 수 있었던 일 등은 몸의 청정에 해당한다. 그리고 사경지를 만들 닥나무를 향수로써 생장시켰음은 재료와 도구의 청정에 해당한다. 이 점은 아무리 강조해도 지나치지 않다.

🏵 사경의 도구

1. 재료와 도구의 선택법

사경에서의 가장 중요한 첫 번째 관문은 조금의 편리함을 멀리하고 신선한 재료에 청정한 도구로써 진리를 향한 일념을 담는 일이다.

(1) 종이

종이는 순지(닥지)를 사용하는 것이 좋다. 닥지는 섬유질이 풍부하기 때문에 질겨서 오래도록 보존이 가능하기 때문이다.

성인의 말씀이 오래도록 보존되길 바라는 마음이 바로 사경의 첫걸음임을 생각한다면 닥지를 사용하는 것은 당연하다. 특히 우리나라에서 생산되는 닥지는 그 품질의 우수성이 일찍부터 높게 평가되어 왔다. 예로부터 전해져 오는 '絹 500, 紙 1000년'이라는 말은 비단이 오백 년 보존되는데 비해 종이는 천 년을 간다는 말이다. 그만큼 닥종이의 수명은 길다.

가능하면 최상의 순지를 여러 종류를 구입하여 사용하면서 그 나름대로의 특징들을 기록해 둔 뒤 자신에게 가장 적합한 순지를 사용하면 된다. 표면이 곱고 먹물을 고르게 받아들이는 순지라면 가장 좋다.

다만 한 경전을 사경할 때, 부분 부분 서로 다른 재질의 순지를 사용하는 것은 바람직하지 않으므로 일단 순지를 비교해 본 후, 단일 경전을 처음부터 끝까지 동일한 순지를 사용할 수 있을 정도의 충분한 양의 종이를 갖추어 두도록 한다.

(2) 붓

붓은 작은 붓으로 크기별, 종류별로 여러 자루를 미리 준비하여 둔다. 과거에는 사경용의 붓은 兎毛筆과 狼毫筆을 주로 사용하였으나 오늘날 이들 재료로 만든 좋은 붓을 구입하기란 쉽지 않다. 우리나라 붓으로는 黃毛筆이 유명한데 실제로 시중에 나와 있는 황모필이라고 하는 붓들도 생각만큼 좋지 못한 경우가 많다. 따라서 크게 권장할 정도는 아니지만 구입이 용이하므로 우선은 황모필을 구입, 사용하여 붓에 대한 감각을 익혀 둔다.

붓은 면상필 크기 이상이면 무난한데 이보다 작은 붓은 사용이 어렵기 때문에 면상필로부터 조금 큰 붓까지 여러 종류의 붓을 구입하여 사용한다. 대체로 필두의 직경이 3mm~7mm 정도까지의 붓을 단계별로 준비한다.

붓 또한 가급적이면 최상의 좋은 붓을 사용하도록 한다. 좋은 붓을 사용하여 사경을 할 때에는 마음과 붓이 하나가 되기 때문에 환희심이 배가되기 마련이다. 즉 최상의 재료와 최상의 조건이 최상의 마음가짐과 최상의 수행으로 연결되고 최상의 법사리를 탄생시키는 법이다.

(3) 먹

먹도 가능하면 최상품을 사용하도록 한다. 사경은 많은 양의 먹물을 필요로 하지 않는다. 따라서 한 번 사면 오래도록 사경을 할 수 있기 때문에 처음부터 좋은 먹을 사용하도록 한다.

좋은 먹은 갈았을 때 먹물이 붓에 엉기지 않고 곱고 맑으며 향이 좋고 벼루를 상하게 하지 않으며 표구를 할 때에도 전혀 문제를 일으키지 않는다. 또한 발묵이 좋아 사경을 한 후 빛깔이 매우 아름다우며 묵색이 변하지 않는다.

우리나라에서 제작한 먹도 좋지만 대체로 큰 편이다. 그래서 사경의 용도로는 적합하지가 않다. 그러나 일본에서 제조된 먹은 크기가 다양하고 사용이 편리하며 발묵이 우수하다. 따라서 일본 제조의 먹을 사용하기를 권하고 싶다.

그리고 먹물은 조금씩 갈아 바로 쓰는 것이 좋다. 약 3cc-5cc 정도씩 갈아 쓰면 무난하다. 먹물을 미리 많이 갈아놓으면 시간의 경과에 따라 수분이 증발하여 걸쭉해져 장애를 일으키기 쉽다. 따라서 작고 아름다우며 깨끗한 종지에

청정수를 담아 두었다가 그 때 그 때 물을 작은 차스푼으로 조금씩 따라서 갈아 쓰도록 한다.

먹물에 있어서 주의할 점은 절대로 묵즙(묵액 – 갈아놓은 먹물)을 사용하지 않는 일이다. 묵즙은 발묵이 좋지 않을 뿐만 아니라 방부제가 많이 포함되어 있어서 장기적으로는 종이를 상하게 한다. 또한 시간의 경과에 따라 증발이 빨리 이루어져 사용이 쉽지 않고 표구를 할 때에도 먹물이 번져날 가능성이 있다.

(4) 벼루

사경을 하는 데에는 그리 많은 먹물을 필요로 하지 않으며 큰 붓을 필요로 하지도 않는다. 따라서 벼루 또한 사경 전용의 소형 벼루를 따로 갖추도록 한다.

좋은 벼루는 힘을 주어 갈지 않아도 잘 갈리면서 고운 먹물을 만든다. 또한 먹과 조화를 이루어 발묵이 좋고 물을 흡수하지 않으며 硯面에 변함이 없다. 사경은 세필로 이루어지기 때문에 매우 정갈한 먹물을 필요로 한다. 따라서 벼루 또한 정갈한 먹물을 만들 수 있는 좋은 품질의 벼루를 선택한다.

사경에 적합한 국내산 벼루로는 백운진상석 정도가 되면 좋겠지만 실제로 시중에 이와 같은 명품 벼루는 나와 있지 않다. 따라서 중국산 소형 단계연을 사용하기를 권하고자 하는데 그리 고가는 아니며 한 번 구입하면 반영구적으로 사용할 수 있기 때문에 처음부터 좋은 석질의 벼루를 구입한다.

벼루를 고를 때에는 연면의 봉망이 고르고 치밀하며 빛깔이 전체적으로 고르고 아름다우며 흠집이 없는 것으로 선택한다. 아름다운 조각이라도 장식되어 있으면 더욱 좋다.

(5) 유리봉(유리막대)

천두선과 지각선, 계선 등의 선을 그을 때 붓이 흔들리지 않도록 지지대 역할을 해 주는 도구이다. 유리봉은 지면에 닿는 부분이 유리이면서 둥글기 때문에 종이를 상하게 하지 않는다. 따라서 곧은 선을 그을 때 매우 요긴하게 쓰인다.

본래 제도할 때 보조로 사용하도록 만들어진 도구인데 현재 시중의 큰 문구점에 가면 쉽게 구할 수 있고 가격도 매우 싸다. 다만 유리로 되어 있기 때문에 떨어뜨리거나 무리한 힘을 가하면 부러질 염려가 있으므로 처음 구입할 때 여러 개를 구입해 두는 것이 좋다.

(6) 문진(서진)

문진은 사경지를 움직이지 않도록 해 주고 지면을 곧게 펴 주며 아래의 깔개에 밀착시켜 주는 역할도 하여 사경을 매우 편리하게 해 준다.

문진은 아름답고 작으면서도 무거운 것이 좋다. 그리고 문진으로 인해 종이가 상하는 일이 없어야 하기 때문에 모서리에 각이 지지 않은 것이 좋다.

최소한 4개 정도 구입하여 사용하면 사경하는데 크게 지장이 없다. 나무나 유리로 된 것도 좋다. 혹여 쇠문진을 사용할 경우에는 모서리가 날카롭지 않고 도금이나 칠이 벗겨지지 않는 것이어야 한다. 특히 녹이 스는 제품은 피하도록 한다.

(7) 연적

사경은 많은 먹물을 필요로 하지 않기 때문에 연적 또한 크지 않으면서 아름다운 것이면 무난하다. 연적을 고를 때에는 물이 연적 입의 표면을 따라 주루룩 흐르지 않고 곧바로 벼루에 떨어질 수 있는 것으로 선택한다.

연적이 마땅치 않을 경우 맑고 깨끗한 작은 그릇을 준비한다. 다만 사경용은 따로 보관하면서 전용

으로 사용하도록 한다. 사경을 할 때에는 이러한 작은 그릇에 정화수를 조금 담아두었다가 작은 차스푼으로 3cc~5cc 정도 따라 쓰는 것도 좋다. 스푼 또한 사경용을 따로 준비해 두고 사경을 할 때에만 사용한다.

(8) 깔개

사경은 세자로 이루어지기 때문에 따로 서예용 깔개, 모포 등을 구입하지 않아도 된다. 왜냐하면 세자이기 때문에 먹물이 종이를 투과하여 책상에 묻을 염려가 거의 없기 때문이다. 따라서 표면이 곱고 구김이 없는 양질의 깔개가 없을 경우에는 두꺼운 캔트지를 반으로 길게 자른 후 사경지 아래에 받치고 쓰면 된다.
이러한 종이 깔개에는 사경의 체재에 따른 정간을 미리 그어두는 것이 좋다.

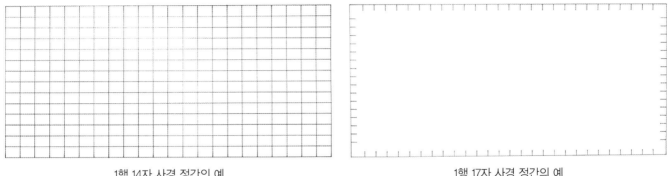

| 1행 14자 사경 정간의 예 | 1행 17자 사경 정간의 예 |

(9) 경함, 경합

사경을 보관하는 함을 말한다. 사경의 보관 용기는 가장 가볍게는 경보, 경갑으로부터 크게는 경궤에 이르기까지 다양하다. 사경의 보관은 여법한 수지에 해당하기 때문에 매우 중요하다. 따라서 최상으로 고귀하게 장엄해야 함은 두말할 나위도 없다.
가장 손쉽게는 청정한 두꺼운 종이 상자를 구하여 안팎을 사경 또는 불보살과 관련한 그림, 사진 등으로 장엄하는 방법이 있다.

(10) 경상

사경용 서탁을 말한다. 사경을 할 때에는 주변 환경을 먼저 정리 정돈하는 일이 중요하기 때문에 경상 또한 사경 전용으로 따로 준비하여 항상 먼지가 앉지 않도록 청정히 관리한다. 70-80cm 이상이면 사경하는데 큰 지장이 없다. 따라서 작고 아담한 것으로 준비한다.
그리고 경상은 표면이 매끄러운 것이 좋다. 그렇지 않을 경우 천지선과 계선을 그을 때에 애로사항이 많다. 만약 경상의 표면이 매끄럽지 않다면 경상 표면 크기에 맞는 유리나 아크릴을 깔아둔다.

(11) 기타

사무실의 경우에는 따로 하나의 작은 책상(경상)과 의자를 준비하여 둔다. 그리고 경상 위에는 사경에 필요한 도구를 항상 갖추어 두고 사경과 관련이 없는 다른 물건들을 올려놓지 않도록 한다. 즉 사경수행 전용 경상으로만 사용하는 것이다.
이 외에도 필요에 따라 작은 자(20cm ~ 30cm)와 큰 자(50cm ~ 1m 이상), 콤파스, 각도기, 모양자, 온 습도계, 스탠드, 확대경, 향과 향꽂이, 독경테이프(혹은 범패, 명상음악 등), 사경복 등을 갖추어 둔다.

재료와 도구의 사용법

모든 도구와 재료는 최상의 상태로 사용하고, 사용한 후에는 다음 사용을 위해 최선의 방법으로 손질을 해 둔다.

사경 도구의 배치법

1. 종이

사경지는 순지(닥지)를 사용하는 것이 바람직하다. 그러나 실제로 초학자가 순지에 곧바로 사경하기란 그리 쉽지 않다. 순지의 섬유질이 거친 경우가 많고, 그 경우 먹물이 잘 스며들지 않기 때문이다. 뿐만 아니라 붓이 종이의 힘을 감당하지 못하여 쉽게 닳는다.

이럴 경우 도침을 하게 되면 질 좋은 순지를 만들 수 있으나 매우 복잡한 과정을 거쳐야 한다. 따라서 처음 종이를 구입할 때 도침이 잘 되어 표면이 고운 순지를 구입해 두고 사용한다. 한 가지 주의할 점은 종이는 뜰 때마다 두께, 빛깔 등등에서 조금씩 차이를 보이므로 좋은 종이가 나왔을 때 대량으로 구입하여 두고두고 사용하여야 작품의 처음과 끝이 한결같게 된다는 점이다.

사경에 있어서 청정함을 위해서는 사용하고 남은 종이를 잘 보관하는 일이 중요하다.

일반적으로 종이는 햇볕과 습기에 약하고 시간의 경과에 따라 산화로 인하여 탈색과 변색이 진행된다. 이러한 탈색과 변색은 사경의 품격을 현저히 저하시킨다. 뿐만 아니라 사경을 시작할 때의 환희심도 저하시킨다. 탈색이나 변색된 바탕지는 청정하고 고요한 심신으로 사경을 하기 위해 깨끗한 종이를 처음 펼칠 때의 그 상쾌한 마음을 상쇄시켜 사경수행의 집중력을 떨어뜨리며 사성 후에도 왠지 모를 미흡한 뒷맛이 남게 된다. 따라서 쓸 만큼만 깨끗이 잘라 사용하고 남은 종이는 구겨지거나 온도와 습도에 크게 노출되지 않도록 잘 말아 둔다.

본래 종이는 지통(종이로 만들어진 지통이나 오동나무 상자라면 더욱 좋을 것이나 플라스틱 통이나 사진용 지통도 무방하다.)에 보관하는 것이 가장 좋다.

가장 손쉬운 보관법으로는 먼저 한지로 싼 후, 다시 신문지(신문지는 방충의 효과도 지닌다.)와 같은 종이로 싸고 이어 비닐로 싸서 밀봉해 두면 퇴색과 탈색, 혹은 지질의 변화를 최소화 할 수 있다. 이렇게 보관하면서 맑은 날 간혹 꺼내어 그늘에서 통풍을 시킨 후 다시 보관하는 방법으로 한다면 장기간 보관이 가능하다.

2. 붓

붓은 동물의 털을 가공하여 만들기 때문에 충해를 입기 쉬우므로 사경을 마친 후 깨끗이 씻어두는 일이 중요한데 사경용 붓은 세필인 관계로 보다 섬세한 과정을 필요로 한다.

붓의 사용을 마친 후 약하게 흐르는 물에 붓대를 곧게 세우고 붓털 부분을 적시면서 엄지와 검지를 이용하여 가볍게 비벼주면 먹물이 모두 빠진다. 이렇게 붓을 깨끗이 씻어두지 않으면 먹에 들어 있는 아교 성분이 붓을 상하게 한다. 또한 먹물에 의해 붓이 굳어 다음에 사경할 때 붓을 푸는 일이 용이하지가 않다. 이럴 경우 무리하게 붓을 풀게 되면

붓이 쉽게 상한다. 따라서 붓을 사용한 후에는 맑고 깨끗한 물로 꼭 씻고 붓 끝이 모아지도록 잘 다듬어서 붓걸이에 걸어두어 붓의 원형을 보존하면서 말려두어야 한다. 그리고 붓은 동물의 털을 사용하여 만든 것이므로 씻을 때 비누나 세제를 쓰는 일이 없도록 한다.

붓은 붓걸이에 걸어두는 것이 가장 좋다. 아니면 필산에 올려놓아 자연스럽게 건조시킨다.

3. 먹

먹을 잘못 보관했을 경우 뒤틀리거나 트거나 쪼개질 수 있다. 뿐만 아니라 발묵에 많은 문제점을 야기하기 때문에 먹 또한 보관에 주의해야 한다.

먹을 사용하고 난 후에는 찌꺼기가 남아 있지 않도록 갈은 면을 잘 닦아두도록 한다. 사용한 부위를 휴지나 전용의 헝겊에 찌꺼기가 남지 않도록 잘 닦은 후 먹 상자(먹집)에 넣어 보관한다.

먹을 가는 방법에 있어서도 주의를 요한다. 사경용의 먹은 매우 작고 고우며 약하기 때문에 힘을 주어 갈지 않도록 한다. 가볍게 쥐고 벼루에 좌우로 원을 그리며 갈면 된다. 일반적으로 먹을 벼루면에 수직으로 세워서 가는데, 사경을 할 먹물을 만들고자 먹을 갈 때에는 다른 방법을 권하고 싶다. 즉 먹을 약 45°정도로 벼루면에 기울여 앞, 뒷면을 번갈아 가며 고르게 가는 방식이다. 이렇게 먹을 갈면 먹을 가는 손에 큰 힘을 가하지 않아도 잘 갈릴 뿐더러 곱게 갈리며 발묵도 좋아 사경하기에 매우 좋다. 또한 먹물이 튈 염려가 전혀 없고 먹에 찌꺼기가 남지 않으며 먹을 벼루에 세워놓음을 미리 방지함으로써 먹이 벼루와 달라붙은 것을 방지할 수 있다.

4. 벼루

벼루는 영구적으로 사용할 수 있는 도구이다. 따라서 좋은 벼루를 좋은 상태로 영구적으로 사용하려면 평소 사용과 보관에 주의를 기울인다.

비록 벼루가 매우 단단한 석질로 이루어져 있다 하더라도 벼루면(연면)에 상처가 생기지 않도록 늘 주의한다. 앞서 사경용으로 중국제의 단계연이면 가장 무난하다고 하였는데 단계연을 사용할 때에는 그에 맞는 수준의 먹을 사용해야만 한다. 아무리 좋은 벼루라 하더라도 먹의 품질이 좋지 않으면 벼루면에 상처가 난다. 그렇기 때문에 가급적이면 입자가 고운 좋은 먹을 사용하는 것이 좋다.

벼루 역시 사용 후 깨끗이 씻어둔다. 벼루도 사용하고 씻어두지 않을 경우에는 벼루면에 남아 있는 이전 먹찌꺼기의 아교 성분이 발묵을 떨어뜨릴 뿐 아니라 벼루면의 봉망을 덮어 종국에는 벼루를 상하게 한다. 뿐만 아니라 사경을 한 후 배접을 할 때 자칫 상한 먹물이 번져 나와 사경을 망칠 수도 있다.

벼루를 닦을 때에는 벼루면의 봉망을 상하지 않도록 부드러운 수세미를 사용하여 닦아낸다.

가장 손쉬운 방법은 벼루의 사용 후에 연면을 충분히 적실만큼의 물을 부어두고 5분쯤 경과한 후 휴지나 전용 헝겊을 이용하여 닦아내기를 2~3회 하는 방법이다.

이렇게 한 후 벼루집에 보관함으로써 벼루면에 먼지가 앉지 않도록 한다.

5. 기타

그 밖의 사경에 필요한 재료들도 가급적이면 사경을 마친 후 곧바로 청정하게 보관한다.

천지선을 비롯한 계선을 긋기 위한 보조 도구인 유리봉은 먹물이나 다른 물질이 묻어 있지 않도록 잘 보관하고 문진 역시 가장 청정한 상태로 유지해 둔다.

연적은 사용 후 깨끗이 비워두도록 하고 사경을 할 때마다 청정수를 새롭게 담아 사용한다. 그리고 미리 사경용의 정간을 그어 놓은 깔개 역시 먼지가 쌓이지 않도록 덮어두며 경상 역시 청결하게 유지한다.

사경할 대상 경전의 선택

사경을 하기 위해서는 먼저 사경할 대상의 경전을 선택하여야만 한다.

과거에는 모든 대장경의 내용이 사경의 대상이었다고 해도 과언이 아니다. 그 중에서도 〈華嚴經〉과 〈法華經〉이 가장 많이 사성되었고, 단일 경전으로는 〈金剛經〉이 뒤를 잇고 있음을 유물을 통해 확인할 수 있다. 〈華嚴經〉은 워낙 방대한 분량이기 때문에 권별 사성도 이루어졌는데, 그 중 「普賢行願品」이 가장 많이 사성되었다.

그리고 이들 사경은 대부분 개인적으로 사성되었다기보다는 국가나 왕실 지원으로 세워진 사경소나 사경원, 혹은 사찰의 적극적인 지원에 힘입어 임시로 세워진 사경소에서 전문 경필사들에 의해 사성되었다. 때로는 귀족들의 적극적인 지원에 의해 개별적으로 사성되기도 하였다.

자신이 직접 사경하는 것과 회향할 능력이 있는 다른 전문 경필사들에게 의뢰하는 것이 동일하게 공덕을 쌓는 일이라는 경전의 말씀에 근거하여 이러한 사경의 방법이 형성되었다고 할 수 있다. 그리고 이렇게 사경원과 같은 전문 기관에서 사성된 장엄스러운 사경은 많은 경우 불상의 복장이나 탑에 봉안되었다.

조선시대에는 국가나 왕실 차원의 사경의 사성에도 제약을 받았던 관계로 대부분 대중들의 십시일반 시재에 의존하여 사성하였다고 할 수 있다. 즉 일반인 누구나 쉬이 사경을 하지는 못했던 것이다. 물론 이는 최상의 장엄경 사경에 한해서이다.

현재는 전문적이고 지속적으로 사경 법회를 봉행하는 사경소나 사경원이 없기 때문에 개인적으로, 혹은 임시로 사찰에서 대중들이 모여 봉행할 수밖에 없다. 따라서 사경할 대상의 경전을 자신의 능력과 목적에 맞게 신중히 선택하여야 한다.

초보자에게는 짧은 진언, 다라니, 발원문, 게송, 반야심경 등의 사경이 좋다. 예컨대 여래십대발원문, 의상조사 법성게, 나옹선사 발원문, 항마진언, 관세음보살42수진언 등과 같은 짧은 내용을 사경하는 것이다. 이후 보다 분량이 많은 경전으로 옮겨간다. 부모은중경십계찬송, 화엄경약찬게, 법화경약찬게, 신심명, 증도가 등과 같이 그리 분량이 많지 않은 내용을 사경하거나 경전의 일부를 발췌하여 사경한다. 필력과 사경 수행에 힘이 붙게 되면 아미타경, 천수경, 부모은중경, 금강경, 지장경 등 보다 분량이 긴 경전으로 나아간다.

처음부터 욕심을 부리는 것은 좋지 않다. 사경은 양이 중요한 것이 아니라 깊이가 중요하기 때문이다.

뿐만 아니라 글씨를 잘 쓰고 못 쓰는 것 또한 크게 중요하지 않다. 이왕이면 글씨까지도 잘 쓰면 더욱 좋겠지만 그보다는 얼마나 여법한 방법으로 신심을 가지고 최선을 다해 사경에 임했으며 성인의 가르침을 사경하는 과정에서 어떠한 깨달음을 얻었느냐가 중요하다. 나아가 사경을 통해 얻은 깨달음이 어떠한 실천을 통해 중생들에게 이익이 되느냐가 가장 핵심이다.

 # 사경 장정 양식의 선택

사경의 양식은 장정법에 따라 크게 4가지 양식으로 분류할 수 있다. 전통적인 권자본, 절첩본, 선장본의 3가지 양식과 현대적인 양식(액자, 족자, 병풍)으로 분류할 수 있는 것이다.

역사적으로 가장 먼저 성립된 장정법은 권자본이다. 즉 족자식의 두루마리 양식인데 가로로 펼쳐진다는 점에서 오늘날의 족자와 차이를 보인다.

다음으로는 고려 후기의 사경에서부터 나타나기 시작하는 절첩본 장정 양식이 있다. 쉽게 설명하면 병풍식으로 접

어지는 형식의 장정법이다. 전통사경에서는 절첩본 양식의 사경이 14C 이후에 사성된 사경의 대부분을 차지한다. 전통사경의 가장 대표적인 장정 양식이라고 할 수 있는 것이다.

선장본은 맨 마지막으로 나타나는 장정 양식으로, 각각의 장을 반을 접어 우측 가장자리에 5개의 구멍을 뚫어 끈으로 묶는 형식의 장정법이다. 이러한 선장본 장정의 사경은 매우 드문 편이다.

사경 형식의 선택

사경의 형식은 기본적으로 표지와 경문. 사성기를 주된 내용으로 한다. 그리고 최상으로 고귀하게 장엄하기 위해서는 신장도나 변상도를 필요로 한다.

이러한 형식을 여법하게 갖추기 위해서는 장정 양식에 따라 각 부분의 제작 방법을 달리 할 수밖에 없다. 따라서 그와 관련한 최소한의 지식을 미리 갖추어 두도록 한다.

※ 필자의 저서 『한국의 사경』 참조

사경의 여법한 보관

사경(서사) − 수지(보관) − 독송 − 연설(남을 위해 법을 설함). 일반적으로 대승경전에서 무량공덕을 누누이 강조하는 내용의 순서다. 그 두 번째 항목이 수지이다. 그만큼 수지도 중요하다. 수지가 없다면 이후 독송과 연설이 없게 되기 때문이다.

따라서 사경(법사리)을 소각하는 일은 수지. 독송. 연설을 못하게 만드는 죄가 되는 행위이다. 따라서 절대로 소각하지 말고 여법하게 장엄된 경함이나 경합에 소중하게 보관한다. 이후 시절 인연에 따라 납탑 봉안하거나 불상의 복장에 봉안한다. 대신에 그야말로 법사리로서 미흡함이 없도록 여법한 사경의 사성에 최선을 다해야 한다.

1행 서사 양식의 선택

전통사경은 어느 한 부분 이유 없이 이루어진 부분이 없다. 1200년이라는 장구한 세월 동안 발전에 발전을 거듭하여 최상의 여법한 형식과 양식, 상징성을 갖추었던 것이다.

그 중 하나가 1행 서사 글자수이다. 전통사경은 기본적으로 1행 14자와 1행 17자의 서사 체재였는데, 여기에도 상징성이 존재한다. 목판대장경(초조대장경, 재조대장경)과 고려 국왕 발원의 은자대장경은 1행 14자 서사 체재이고, 개인 발원으로 사성된 금은자 사경들은 1행 17자의 서사 체재가 많다. 이 또한 참고해 두도록 한다.

개인 사경수행의 의식

개인적인 사경수행은 사경 도량을 청정히 하는 과정. 사경 재료와 도구들을 청정히 하는 과정, 자신의 몸과 마음을 청정히 하는 과정으로 나눌 수 있고 이러한 순서로 한다. 즉 밖으로부터 안으로, 그리고 내면으로 차츰 좁혀 들어가는 것이다.

개인적으로 사경을 할 경우에도 다음과 같은 최소한의 의식을 갖도록 한다.

먼저 삼귀의례를 행한 후 사경발원문을 독송하고 入定의 시간을 갖는다. 사경발원문은 사경수행의 방향을 설정해 준다. 그리고 입정의 시간은 마음이 앞서감을 방지해 주기 때문에 특히 중요하다. 입정하는 동안 마음을 편안히 하고 사경의 목적을 마음에 깊이 새기거나 사경할 경전의 내용을 마음에 새기면서 貪瞋癡에 대한 참회를 한다. 혹은

묵은 업장에 대한 소멸을 기원하거나 내면의 부처님을 염하는 것도 좋다. 이렇게 입정을 통해 마음이 오롯이 모아지면 사경에 임한다. 사경을 마친 후에는 사경한 경전을 다시 한 번 읽으면서 마음에 새긴다. 마지막으로 사홍서원을 독송하면서 회향을 한다.

※ 자세한 내용은 조계종 출판사의 『수행법 연구』 참조

서예에 9生法이 있다. 글씨를 쓸 때 살아 있어야 하는 아홉 가지 조건, 즉 신선함을 유지해야 하는 9가지의 내용을 말한다. 이 내용은 사경수행의 기본적인 조건으로 응용되어도 좋을 것이다.

1. 깨끗이 빨아 정돈된 좋은 붓
2. 신선한 종이(구겨지거나 탈색되지 않은 종이)
3. 깨끗한 벼루(먹 찌꺼기가 남아 있지 않은 벼루)
4. 깨끗한 물(신선한 물)
5. 깨끗하고 좋은 먹(향이 좋으면서 곱게 갈리는 먹)
6. 피로하지 않은 손과 팔
7. 피로하지 않은 고요한 눈
8. 피로하지 않은 맑은 정신
9. 최적의 주변 환경

이들 내용은 크게 도구와 재료, 몸과 마음, 그리고 주변 환경으로 정리할 수 있다.
제1항부터 제5항까지는 도구와 재료의 청정에 관한 내용이고, 제6항과 제7항은 몸의 청정에 관한 내용이다. 그리고 제8항은 마음에 관련한 내용이고, 제9항은 주변 환경과 관련한 내용이다.
이들 9가지의 청정한 조건이 갖추어진다면 사경수행의 기본 조건이 충족되었다고 해도 무방하다.
이러한 조건이 갖추어지면 사경소로 나아가 사경수행에 들어간다.

🏵 사경수행의 몸가짐과 마음가짐

사경은 부처님을 비롯한 성인들의 진리의 말씀을 종이에 옮겨 쓰면서 마음에 새기고 이를 행동으로 옮기는 일이기 때문에 결코 서사에 국한되는 단순한 예술 창작 행위만이 아니다. 예술 창작 행위에 더하여 몸과 마음을 변화시키는 개인의 수행이자 이웃과 사회를 변화시키고자 하는 기도의 승화와 노력인 것이다.

'寫經을 하는 법은, 닥나무 뿌리에 향수를 뿌려 生長시키며 닥나무가 다 자란 연후에는 닥 껍질을 벗기는자나 연마하는 자나 종이를 만드는 자나 寫經을 하는 자나 표지와 變相圖를 그리는 자, 經心을 만드는 자, 심부름을 하는 자 모두 菩薩戒를 받아야 하고 齋食(음식을 청결히 가려 먹음)해야 하며, 위의 사람들이 만약 대소변을 보거나 누워 자거나 음식을 먹거나 했을 때에는 향수로 목욕을 한 연후라야 寫經하는 곳에 나아갈 수 있다.'

— 신라 백지묵서 〈대방광불화엄경〉 사성기에서—

이 글은 우리 조상들이 어떠한 몸가짐과 마음가짐으로 사경수행에 임하였는지를 잘 표현해 주고 있다. 사경에 참여하는 자 모두, 심지어는 사경소 내에서 심부름 하는 자(走使人)까지도 보살계를 받아야만 했고, 음식을 가려 먹어야 했다. 그리고 닥나무를 향수로 재배하였음과 각 축의 경심에 부처님 사리를 봉안하고 있음을 통해 사경 사성의 전 과정에서 어느 정도의 청정과 정성, 여법함을 추구하였는지를 알 수 있다.

🏵 사경의 자세

사경의 자세는 크게 3가지로 나뉜다.

바닥에 엎드려 사경을 하는 자세와 경상을 앞에 놓고 바닥에 앉아 사경을 하는 자세, 그리고 의자에 앉아 사경을 하는 자세가 바로 그것이다.

바닥에 엎드려 사경을 할 때에는 가급적이면 무릎을 꿇고 사경지가 오른쪽 무릎 앞에 오게 한 다음 팔꿈치와 팔목을 지면에 댄 채로 사경을 한다. 즉 몸이 어느 한 쪽으로 치우치지 않는 안정된 자세라야 좋은 것이다. 바닥에 앉아 경상을 앞에 놓고 사경을 할 때에도 가급적이면 바른 자세가 될 수 있도록 반가부좌, 혹은 가부좌를 하거나 흔히 앉는 자세인 양반 다리를 하는 것도 좋고 무릎을 꿇는 자세도 무방하다. 무릎을 꿇는 자세를 제외한 다른 자세는 몸을 곧게 하기 위해서는 허리에 힘이 들어가야 한다. 그러므로 허리에 무리가 가지 않도록 미리 좌복(방석)을 준비해 두었다가 사경시 엉덩이 밑을 고여 약간 높임으로써 편안한 자세가 되도록 한다. 그리고 배와 경상이 닿지 않도록 한다. 의자에 앉아 사경을 할 때에도 허리를 곧게 세우고 배와 경상이 닿지 않도록 한다.

바닥에 엎드려 사경을 하는 자세는 편안한 호흡의 지속에 지장을 초래하기 쉽다. 그러나 이 자세 역시 훈련이 되면 큰 장애 없이 자연스러운 호흡이 가능하다. 그럼에도 불구하고 그리 권장할만한 자세는 아니다. 장시간 집중해야 하는 사경수행시에는 체중을 받치는 무릎에 무리가 가기 쉬우며 손가락을 비롯한 손목과 팔목, 어깨 등에도 힘이 들어가게 되기 때문이다.

사경 자세

1. 사경지의 위치

좌우로는 사경할 부분을 자신의 오른쪽 가슴 앞에 위치하도록 하는데, 오른쪽은 겨드랑이를 벗어나지 않도록 하고 왼쪽은 명치를 벗어나지 않게 한다. 이럴 경우 사경지를 움직이지 않고 약 10행 정도 사경이 가능하다. 그리고 사경지가 너무 앞쪽에 위치하면 붓 끝에 힘이 실리지 않아 점획이 들뜨고, 몸쪽으로 너무 당겨지면 팔과 손목이 부자연스럽게 되어 점획의 구사에 부담이 가게 된다. 즉 붓이 눕게 되고 역시 힘이 고르게 실리지 않게 되는 것이다. 이러한 점을 유념하여 사경지의 위치를 정하고 몇 행을 서사한 후에 우측으로 옮겨가면서 사경을 하는 것이 좋다.

사경수행의 어느 자세라도 허리를 곧게 펴고 어깨와 팔목, 손가락의 힘을 빼고 가장 편안한 심신으로 붓을 잡고 사경을 한다. 즉 붓을 꽉 잡을

사경 자세

이유는 없는 것이다. 이렇게 해야 시간의 경과에 따르는 깊이 있는 내면의 수행이 지속되고, 외면으로는 운필의 氣脈이 순조로운 사경이 이루어진다.

이러한 경계에 이르면 하늘의 정기가 머리로 내려오고 땅의 정기가 다리로부터 곧게 펴진 척추를 통해 올라와 사경수행자의 구도를 향한 일념과 함께 조화를 이루어 어깨와 팔을 지나 붓끝을 통해 사경에 구현된다. 즉 天地人의 조화로운 합일의 기운이 그대로 사경에 스며들게 되는 것이다. 그리고 호흡은 이들 여러 요소를 조화롭고 순일하게 해주는 바탕이 된다.

사경수행에 앞선 기초수행

사경수행은 다음의 5가지 기초적인 내용, 즉 五事를 잘 조절하는 것으로부터 시작해야 한다.

1. 調食

조식이란 음식을 조절하는 것으로, 사경수행에 앞서 음식을 조절하는 일은 몸과 마음을 조절하는 일과 밀접한 관련을 갖는다. 왜냐하면 음식의 내용과 양에 따라 몸과 마음의 조건이 여러 가지로 달라지기 때문이다.

사경에 앞서서는 자극적인 음식과 육류는 가급적 삼가는 것이 좋다. 위와 장에 부담이 되는 음식을 먹었을 때는 몸과 마음의 많은 부분이 이 음식물의 소화로 전이되어 몸과 마음을 오롯이 집중해야만 하는 사경에 장애가 되기 때문이다. 또한 과식은 절대 금물이다. 사경에 앞서 과식을 하는 일은 睡魔까지도 불러일으키는 행위이다. 따라서 사경수행에 앞서서는 과식을 하지 않도록 한다.

사경수행의 과정은 육체적인 노동과 같은 많은 에너지를 필요로 하지는 않는다. 몸과 마음이 가장 편안한 상태에서 기쁨으로 침잠하여 성인의 말씀을 통해 자신에게 충만하는 과정이기 때문에 소량의 음식만으로도 건강과 활력을 유지할 수가 있기 때문이다.

따라서 가급적 자극적인 음식과 육식을 피하고 심신을 가장 편안히 해 줄 수 있는 채식 위주의 小食을 하는 것이 좋다.

2. 調睡

조수란 수면의 조절을 말하는데 수면을 피한다는 것은 인체 생리상 매우 어려운 일이다. 수마를 조복 받을 수만 있다면 더할 나위 없이 좋겠지만, 이 또한 지난한 수련을 거쳐야만 가능하다. 따라서 中道의 원리에 입각한 조화가 절실히 요구되는 부분이다.

지나치게 많은 수면은 시간의 낭비일 뿐만 아니라 수행에 오히려 방해가 된다. 그렇다고 하여 수면의 양이 너무 부족한 것 또한 좋지 않다. 수면이 너무 부족하면 심신의 기력이 쇠하여 수행에 전심전력을 할 수 없다. 간혹 용맹 정진을 할 필요가 전혀 없는 것은 아니지만 기본적으로 깊고 충분한 수면을 통해 긴장으로부터 심신을 이완시켜 주는 것이 좋다.

수면의 부족은 사경시 집중력의 저하를 가져온다. 그리하여 깊이 있는 수행으로의 진입을 방해한다. 따라서 충분한 수면을 취하되 양이 아닌 질적인 면에서 깊이 있는 수면을 취하도록 한다.

깊은 수면을 취하기 위해 무엇보다도 중요한 일은 깨어 있는 동안 순간 순간에 최선을 다하는 평소 생활 습관이다. 그럴 때 깊이 있는 수면은 자연스럽게 이루어진다.

3. 調身

우리 몸은 마음과 밀접한 관련을 갖는다. 마음이 몸에 영향을 끼치듯 몸은 마음에 많은 영향을 끼친다. 따라서 몸을 최상의 상태로 하는 것은 마음을 최상의 상태로 만드는 기본적인 요소이다. 앞서의 음식과 수면의 조절 등도 몸과 마음의 상태를 최상으로 하기 위한 개별적인 내용이다. 최상의 몸의 상태를 위해서도 평소의 생활 습관은 매우 중요하다.

몸은 항상 청결히 한다. 머리끝에서부터 발끝까지 청결히 하여 잡다한 장애물이 발생하지 않도록 한다. 즉 사경수행의 첫걸음은 몸의 청결인 것이다.

다음으로는 지병의 소멸이다. 작은 아픔도 지니지 않은 사람은 없는 법이지만 사경수행시 마음을 흐트러뜨릴 정도의 지병이 있는 경우에는 먼저 지병을 다스려야 한다. 작은 병이야 사경수행을 통해 치유가 가능하지만 큰 병은 치유에 앞서 사경 삼매를 불가능하게 하기 때문에 병을 먼저 다스려야 하는 것이다.

몸의 형성이 4대 원소인 地水火風의 인연에 따른 화합으로 이루어진 것임을 자세히 觀하여 成住壞空임을 깊이 깨닫게 되면 작은 병마는 모두 사경수행과 더불어 사라진다. 다만 이러한 치유 효과는 꾸준한 사경수행을 통해서만 가능하다. 따라서 약간의 병은 사경수행의 밑거름으로 삼아 적극적으로 수용하는 것이 좋다.

사경수행자는 자신의 수행과 더불어 법사리를 사성하는 성스러운 예경 행위를 한다는 사명감을 가지고 내 몸이라 하더라도 결코 내 몸만이 아닌 法體임을 항상 생각하여 함부로 하지 않고 정성스레 보살펴야 한다. 최선을 다해 성스럽게 해야 하는 것이다.

4. 調息

모든 수행은 어느 경우를 막론하고 호흡법과 밀접한 관련을 가진다.
우선은 호흡을 안정되게 하기 위한 방법 3가지를 제시하고자 한다.

첫째, 호흡을 아래에 놓고 안정시키는 일이다. 호흡이 아래로 내려가 丹田을 중심으로 온 몸에 퍼지면 마음의 중심이 잡혀 자연스럽게 안정이 된다. 호흡이 중심을 잡지 못한 상태에서 상승하게 되면 심신의 균형이 무너지고 마음 또한 들뜬다. 따라서 먼저 호흡을 아래로 하여 마음을 집중시킨 후, 온 몸에 고루 퍼지게 한다. 사경수행에 임하여 바른 자세를 강조하곤 하는데 그 중 허리를 곧게 펴야 한다는 말은 이를 말한다.

둘째, 몸을 편안히 하여 긴장을 푸는 일이다. 몸을 편안히 하지 않으면 호흡은 불규칙해진다. 뿐만 아니라 깊은 호흡과 얕은 호흡이 뒤섞인다. 이러한 와중에서 호흡은 거칠어지고 때론 끊어진다. 이러한 호흡은 마음의 안정을 방해한다. 즉 흔들리는 파도 위의 배와 같아 사경에 오롯이 전념할 수 없게 만드는 것이다. 따라서 몸을 편안히 하여 긴장을 풀어 마음의 안정을 얻는다. 필자가 1字 1拜, 혹은 1字 3拜와 같은 사경수행법을 권장하지 않는 이유이다.

몸의 긴장은 욕심이나 마음이 앞설 때 일어난다. 즉 貪瞋癡에 의해 일어나는 것이다. 사경수행 또한 三毒心과 연결되면 안 된다. 중도의 도리를 항상 놓지 않아야 하는 것이다. 마음이 앞서는 것을 사경수행자는 무엇보다도 경계해야 한다. 바로 지금 이 자리를 직시하는 것이 모든 수행의 첫걸음이기 때문이다. 따라서 마음이 앞설 때에는 앞선 그 마음이 바로 번뇌며 장애임을 바로 알아차려서 마음을 진정시킨 후 사경수행에 임해야 한다. 몸과 마음, 마음과 서사라는 형식과 내용, 즉 안팎이 분리되어서는 결코 안 되는 것이다.

셋째, 氣가 毛孔을 비롯한 우리 몸의 각 부분을 모두 통과하되 장애가 없음을 명상하는 일이다. 이는 자기 최면과 흡사하다. 즉 고르고 가늘면서도 깊은 호흡이 자신의 몸을 가득 채웠다가 비워지는 것을 명상함으로써 실제로 느낄 수 있도록 훈련해야 한다. 이러한 명상 훈련이 지속되면 실제로 기가 우리 몸 전체에 고르게 퍼지는 기운을 느낄 수 있다. 처음부터 이러한 느낌을 얻을 수는 없으므로 꾸준히 명상을 통해 자세히 살펴야 한다. 그리하면 몸이 편안해지면서 마음을 어느 곳으로든 모으는 일이 가능함을 느낄 수 있다. 이후 이렇게 모아진 기(氣)를 손끝을 통해 붓으로 연결시키고 붓끝을 통해 사경 작품에 담아낼 수 있어야 한다.

이렇게 호흡이 가늘면서도 고요하고 깊고 고르게 이루어지면 마음이 세밀하게 되고 마음은 안정을 얻게 된다. 또한 웬만한 질병은 소멸된다. 이렇게 마음이 안정되면 집중이 용이해져 사경수행을 장시간 지속할 수 있다. 이에 따라 자연히 사경수행에 몰입할 수 있다.

5. 調心

이는 마음의 조복을 받는 일이라 할 수 있다.
마음의 조복을 받는 과정은 크게 3가지로 나뉜다고 할 수 있는데, 이 세 과정 중 어느 한 과정도 소홀히 해서는 안 된다.

첫째는 수행으로 들어가는 단계이다. 사경수행에 들어가기에 앞서 마음의 조복을 받는다는 것은 마음이 수행과 함께 동행함을 의미한다. 즉 마음의 앞서감과 뒤처짐을 경계해야 하는 것이다. 이는 사경수행의 현재성이다. 마음을 항상 과거도 미래도 아닌 현재에 머물게 하여 현재를 바로 직시하여야 한다. 그렇다고 현재에 머물러서도 안 된다. 사경의 진행 과정을 따라 같은 속도로 일정하게 앞으로 나아가야 하는 것이다. 야구선수가 공에서 눈을 끝까지 떼지 않듯이 말이다.

이 단계에서는 간략한 의식을 통한 마음의 정화 시간을 갖는 것이 좋다.

둘째로는 사경수행 중이다. 수행 중에 마음의 조복이 이루어지지 않는다면 마구니는 바늘만한 틈이라도 비집고 들어와 다른 마구니들을 불러들인다. 그리하여 깊은 사경수행을 할 수 없게 만든다. 이럴 때에는 다시금 마음을 다 잡는 과정이 필요하다. 역시 이 과정에서도 지나친 욕심은 좋지 않다. 비록 수행이라 할지라도 지나친 욕심은 금물이다. 사경을 완벽하게 사성해야 하겠다는 지나친 강박관념과 같은 욕심도 마구니라고 할 수 있다. 모든 욕심은 현재성을 벗어나기 때문이다.

이 단계에서는 그야말로 서사하는 경전의 내용과 마음이 늘 함께 해야 한다.

셋째로는 수행을 마칠 때이다. 역시 마음을 조복 받은 상태에서 고요히 수행으로부터 나오는 것이 좋다. 이는 마무리에 해당한다. 마무리가 깔끔하지 못한 습관이 들면 다음 단계의 보다 깊은 수행의 진전이 어려워진다. 항상 끝까지 최선을 다 해야 하는 것이다.

이 단계 역시 첫 번째와 같이 간략한 의식을 통해 마음을 정화하면서 도구를 청정히 한다.

이렇게 처음과 중간, 그리고 끝 모두 방심하지 않고 시종일관 마음을 고르고 순일하게 해야 한다. 그럴 때 사경수행은 힘이 붙는다. 그리하여 보다 깊은 다음 단계의 사경수행으로 자연스럽게 이어진다. 그렇게 되면 모든 마구니들은 결코 사경수행의 경계를 침범할 수 없게 된다.

이와 같은 다섯 과정에 대한 깊은 이해를 바탕으로 심신을 조절하는 과정이 사경수행에 앞서 평소에 이루어져야 하는 선결사항이다.

따라서 사경에 임하는 모든 수행자들은 이러한 내용을 먼저 숙지하고 조금씩 습득하는 과정의 예비 수행을 미리 해 두는 것이 좋다.

사경수행의 실제

1. 붓 잡는 법

① 검지와 중지는 밖에서 힘을 안으로 수렴하도록 하고 약지와 소지는 밖으로 힘을 밀치도록 하며 엄지는 이들 두 반대되는 힘의 중심을 잡아주는 역할을 한다.
② 엄지는 가급적 지면과 수평이 되도록 한다.
③ 붓을 잡았을 때 손 안쪽에 둥근 공간이 생기도록 한다.
④ 붓을 잡는 위치는 가급적 아래쪽으로 하되 손가락 끝이 붓털에 닿지 않는 위치로 한다.
⑤ 소지(새끼손가락)가 손바닥에 닿지 않도록 한다.
⑥ 붓대(필관)가 검지의 두 번째 마디, 혹은 바깥쪽에 위치하도록 한다.
⑦ 붓은 곧게 세워 사용하는 것을 원칙으로 한다.
⑧ 팔목은 지면에 가볍게 대는 것을 원칙으로 한다. 팔을 들고 쓸 필요는 없다.

⑨ 붓은 가볍게 잡는 것을 원칙으로 한다. 다만 한 번 잡은 붓대는 운필 도중 손가락으로 돌리지 않도록 한다.

⑩ 붓펜의 경우도 붓에 준해서 잡지만, 펜과 같이 60°정도 눕혀서 사용해도 된다.

⑪ 펜의 경우에는 60도 내외의 각도로 눕혀서 사용하는 것을 원칙으로 한다.

※ 사경하는 중간중간 붓을 잡은 손과 사경지의 위치, 자세 등을 늘 자체 점검하도록 한다.

왼손을 오른손목 아래 받치고 쓰는 방법

왼손을 오른손목 아래 받치지 않고 쓰는 방법

2. 천지선과 계선 긋는 법

① 먼저 먹물을 묻힌 붓과 유리봉을 함께 나란히 하여 잡는다. 이때 유리봉을 안쪽으로 하고 붓을 바깥쪽으로 한다. 가급적이면 손에 힘을 가하지 않고 편안히 가볍게 잡는다. 다만 한 번 잡은 손의 모양새가 흐트러지거나 변화되지 않도록 주의해야 한다. 왜냐하면 손의 모양새가 흐트러지면 선이 흔들리기 때문이다.

② 붓을 유리봉보다 3~5mm 정도 밖으로 더 나오도록 한다. 세선을 그을 때는 3mm 정도를, 태선을 그을 때는 5mm 정도를 밖으로 더 나오도록 한다. 3mm를 밖으로 나오게 했을 경우 0.1mm 굵기의 세선이 그어진다면, 5mm를 밖으로 나오게 할 때에는 2.1mm 굵기의 선이 그어지게 마련이다.

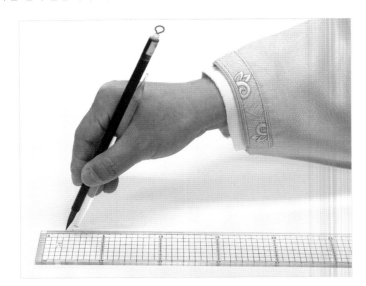

③ 유리봉을 먼저 지면에 댄다. 선을 시작하고자 하는 부분보다 약간 아래쪽 지면에 맞추어 유리봉을 먼저 대는데, 유리봉에 힘을 가하지 않도록 한다. 유리봉에 힘을 가하면 종이가 눌려 이후 선의 진행에 무리가 따르기 때문이다.

④ 유리봉과 붓을 잡은 손의 각도를 세워 붓끝을 지면에 댄다. 이때 붓대(필관)와 지면과의 각도는 60~80° 정도가 좋다. 직각에 가까우면 선을 그을 때 유리봉의 진행에 무리가 따르고 60°보다 작으면 먹물이 곱게 스미지 않는다.

이러한 방법으로 선을 그으면 되는데 주의할 점을 정리하면 다음과 같다.

첫째, 유리봉을 자에 밀착시켜야 한다는 점이다.

둘째, 붓과 유리봉의 지면과의 각도를 선을 긋기 시작할 때부터 끝날 때까지 일정하게 유지해야 한다는 점이다.

셋째, 둘째 사항을 위해서는 오른팔 전체를 전후로 움직여야 한다는 점이다.

넷째, 유리봉에 큰 힘을 가하지 않아야 한다는 점이다.

다섯째, 붓과 유리봉을 잡은 상태가 끝까지 그대로 유지되어야 한다는 점이다.

여섯째, 유리봉은 자에 밀착시키되 붓은 자에서 1mm 이상 떨어져야 한다는 점이다. 붓이 자에 닿게 되면 선이 범벅
이 될 수 있기 때문이다.

선을 그을 때는 경상의 표면이 단단하고 평평하여야 한다.

이를 위해서는 유리나 아크릴 같은 것을 경상의 표면에

깔아두는 것이 좋다.

3. 영자팔법(永字八法)

① 側 : 바위가 굴러 떨어질 것 같은 느낌으로 한다.

② 勒 : 말을 말안장으로 누르는 느낌으로 한다.

③ 弩 : 활을 힘껏 잡아당길 때의 느낌으로 한다.

④ 趯 : 공이 벽에 부딪쳐 튀어나오는 느낌으로 한다.

⑤ 策 : 말에 채찍을 휘두르는 것과 같은 느낌으로 한다.

⑥ 掠 : 머리카락을 빗어내리는 느낌으로 한다.

⑦ 啄 : 새가 모이를 쪼을 때의 느낌으로 한다.

⑧ 磔 : 고기를 자를 때의 느낌으로 한다.

4. 점획의 구사법

① 가급적 기필 – 행필 – 수필 모두 정확하고 분명하게
정성을 다하도록 한다.

② 같은 점획이 연이어질 때에는 낙필의 각도와 운필 등에 변화를 주도록 한다.

③ 가급적 거친 필획이 생기지 않도록 한다.

④ 너무 빠른 속도로 쓰지 않도록 한다. 빠르면 점획에 기(氣)가 배이지 않는다.

⑤ 모든 점획에서 마지막 마무리(수필)까지 붓의 힘이 실리는 것이 좋다.

⑥ 펜으로 사경을 할 때에도 힘의 강약을 생각하면서 하는 것이 좋다.

⑦ 먹물은 가급적 진하게 하며 모두 일정하게 하는 것이 좋다.
(사경에서는 가급적 멋을 부리지 않고 시종 순일하게 하는 것이 중요하다.)

5. 결구법

① 자연의 이법에 맞는 짜임을 늘 생각한다.

② 긴 글자는 길게 쓰고 납작한 글자는 납작하게 쓰도록 한다.

③ 가급적 글자가 정사각형, 또는 직사각형 모양이 되지 않도록 한다.

④ 글자 안에서 가장 주된 획을 택하여 가장 강조하는 필획으로 한다.

⑤ 변과 방, 머리와 발 부분이 서로의 영역을 양보하며 조화를 이루도록 한다.

⑥ 변과 방, 머리와 발의 각 부분들이 유기적으로 결합하도록 한다.

⑦ 특별한 경우가 아닌 한 점획들이 서로의 영역을 침범하지 않도록 한다.
(획과 획이 달라붙지 않도록 해야 하는 것이다.)

⑧ 중심 축선에 변화를 주되 전체적으로는 안정감을 얻어야 한다.

▫ **일러두기**

– 이 책은 저자의『감지금니〈화엄경 보현행원품〉』을 저본으로 하여 제작되었습니다.

– 이 책은 좌철부분과 우철부분으로 나뉘어 편집, 합철로 제작되었습니다.

– 작품은 우측에서부터 시작되고, 사경수행법 이론은 좌측에서부터 시작됩니다.

– 제1부는 작품을 약간 축소한 원본이고, 제2부는 따라서 쓰고 그려보는 페이지입니다.

– 제1부와 제2부의 사성기 모두 저자의 작품 그대로를 제시하였으므로, 사경의 사성일과 서명부분은
  사경수행자님의 발원과 서명으로 바꿔 서사하시길 바랍니다.

– 사경의 개론에 대한 보다 자세한 이론은 저자의『韓國의 寫經』을 참고하시길 바랍니다.

– 사경 수행법의 보다 자세한 내용은『수행법 연구』(조계종출판사)를 참고하시길 바랍니다.

– 자세한 경문 서체 학습을 원하시는 분은 저자의 전통사경 교본시리즈 ①~④,〈한글 반야심경〉·
  〈한문 반야심경〉·〈한글 법성게〉·〈한문 법성게〉의 서체 분석을 참고하시길 바랍니다.

다길 김경호 쓴 전통사경 ❶

화엄경 보현행원품

1판 1쇄 인쇄 ㅣ 2020년 2월 28일
1판 1쇄 발행 ㅣ 2020년 2월 28일

발 행 인 ㅣ 대한불교조계종제19교구본사 주지 초암 덕문
저　　자 ㅣ 다길 김경호
기　　획 ㅣ 화엄선재불교연구소 허 권, 김관태, 강선정
펴 낸 곳 ㅣ 한국전통사경연구원, 지리산 대 화엄사

제 작 처 ㅣ 한국전통사경연구원
출판등록 ㅣ 2013년 10월 7일, 제25100-2013-000075호
주　　소 ㅣ 03702 서울 서대문구 증가로 35-9, 202호 (연희동)
전　　화 ㅣ 02-335-2186, 010-4207-7186
E-mail ㅣ kikyeoho@hanmail.net
블 로 그 ㅣ blog.naver.com/eksrnswkths

© Kim Kyeong Ho, 2020

ISBN 979-11-87931-03-4

값 30,000원

※ 잘못 만들어진 책은 바꾸어 드립니다.

※ 저자와의 협의에 따라 인지는 생략합니다.

※ 이 책에 실린 모든 내용은 저자의 서면 동의 없이 무단 전재, 복제, 응용사용을 금합니다.

신심이 있어 수지·독송하고 이를 *사경하거나 남으로 하여금 사경을 하도록 하며*, 경전에 꽃과 향과 말향 뿌리고 *須曼·瞻蔔과 阿提目多伽의 기름을 늘 태워서 이리 공양하는 자는 무량공덕 얻으리니 하늘이 가없는 것과 같이 그 복 또한 그와 같으리라.*

〈법화경 분별공덕품〉

수보리여. 어떤 선남자·선녀인이 아침에 항하수의 모래알처럼 많은 몸으로 보시하고, 낮에도 역시 항하수의 모래알처럼 많은 몸으로 보시하고, 저녁에도 역시 항하수의 모래알처럼 많은 몸을 보시한다고 하자. 이같이 한량없는 백천만억 겁 동안 보시할지라도. 어떤 사람 하나가 이 경전을 보고 믿는 마음으로 거스르지 않으면, 이 복덕이 앞서 말한 사람의 복덕보다 나을 것이니라. 하물며 이 경을 사경하고, 수지독송하고, 다른 사람을 위해 일러주는 사람에게 있어서이랴.

〈금강경〉

··

　스님의 크나큰 원력에 힘입어 이번에 『화장華藏』이라는 이름으로 5권의 사경 교본을 발행하게 되었습니다. 더군다나 〈화엄경 보현행원품〉·〈화엄경약찬게〉·〈화엄경 정행품〉, 이와는 성격이 다른 〈관세음보살42수진언〉·〈무구정광대다라니경〉을 함께 묶음을 흔쾌히 허락하셨습니다. 이는 원융무애의 화엄사상의 반영과 실천으로 여겨집니다.

　〈관세음보살42수진언〉은 사성을 완료했을 때부터 많은 사부대중으로부터 사경 교본으로의 발행을 권유받아 왔습니다. 근기가 서로 다른 중생들이 자신의 근기에 가장 적합한 현실적인 진언을 선택하여 사경 기도를 할 수 있도록 구성되어 있기 때문입니다. 또한 전통사경의 선긋기부터 제불보살님의 수인·지물·한자·한글서예를 함께 학습할 수 있도록 구성되어 있으니 사경 초학자들에게는 가장 효과적인 체본의 역할을 할 수 있기 때문이기도 합니다. 그렇지만 단행본으로의 발행이 실행에 옮겨지지 않아 안타까움이 컸습니다. 약 20년이란 세월이 흐른 지금에 이르러서야 시절인연이 닿아 단행본으로 출간할 수 있게 됨에 무한 감사드립니다. 더하여 세계 문명사·문화사뿐만 아니라 우리나라 사경의 역사에서 매우 중요한 위치를 점하고 있는 통일신라시대의 조탑소의경전인 〈무구정광대다라니경〉까지 함께 한 세트로 발행하게 되었으니, 이 시대 사경사업의 큰 족적이 되리라 확신합니다.

　이 사경 교재 발간을 기획하고 많은 고견을 주신 교무국장 덕홍 스님, 화엄선재불교사회연구소 허 권 소장님과 화엄사성보박물관 강선정 학예연구사님을 비롯한 모든 관계자님들께 깊이 감사드립니다.

　아무쪼록 이 5권의 사경 교재가 사경과 인연을 맺어 무량공덕을 쌓으시는 모든 사경수행자님들께 조금이라도 도움이 되고, 시방제불보살님의 무한 가피 속에 사경 정진할 수 있게 되길 일심으로 기원합니다.

2020년 2월　　화엄사 전통사경원장　다길 김경호 두손모음

『華藏』을 엮으며

세존이시여, 제가 이 경전을 받아 지니고 읽고 외우며 다른 사람들에게도 밝혀 설하겠사오며 제가 사경하고 다른 사람들에게도 사경하기를 권하며 공경하고 존중하면서 갖가지 향기로운 꽃과 도향·가루향·말향·소향이며 꽃다발·영락·번기·일산·풍악 등으로 공양하겠습니다. 그리고 5색의 비단 주머니에 싸서 정결한 곳에 마련된 높은 자리에 모시고 사천왕과 그 권속 및 한량없는 백천의 천신들과 함께 사경이 봉안된 곳에 나아가 공양하고 수호하겠나이다.

〈약사유리광칠불공덕본원경〉

또 어떤 사람이 깊은 신심으로 이 열 가지 원을 받아 지녀 읽고 외우거나 한 게송만이라도 사경한다면, 무간지옥에 떨어질 죄이라도 즉시 소멸되고 이 세상에서 받은 몸과 마음의 모든 병과 모든 고뇌와 아주 작은 악업까지라도 모두 다 소멸될 것이다.

〈화엄경 보현행원품〉

....

희유하고 희유한 선근인연입니다.

사경을 시작한 지 45년의 세월이 흘렀고, 전통사경을 개척하여 부활시키겠다는 서원을 세우고 사경 전문 전업작가로 전환하여 정진하는 한편으로는 제자들을 양성해 온 지 어느새 25년이 되어갑니다.

지난 25년의 세월 동안 전통사경의 계승과 발전을 위해 앞만 보고 달려왔습니다. 사경 발전을 위하여 저를 필요로 하는 곳이라면 국내외를 마다하지 않고 달려갔으며, 부족하지만 제가 할 수 있는 최선의 노력을 다하고자 했습니다.

현실적으로 여러 한계에 직면하여 좌절할 때마다 큰 스승님들과 후원자님들의 격려에 힘입어 일어서기를 반복해 왔습니다. 그리하여 지금까지 사경을 지속하고 있음은 오로지 불보살님의 크나큰 가피와 사경의 공덕 덕택입니다.

모든 일은 밝은 혜안과 굳은 서원을 지닌 선지식과 시절 인연이 무르익어야만 원만한 성취를 이루는 법임을 생각할 때, 화엄사 덕문 주지스님과의 선근인연은 과거생 여러 겁 사경 인연의 결과로 여겨집니다.

20여 년 전부터 제가 사성한 모든 전통사경 작품은 교본으로의 발행을 기원하면서 제작해 왔습니다만 지금의 시점에서 볼 때 부족함이 전혀 없는 것은 아닙니다. 그렇지만 당시에는 부족한대로 최선을 다했던 작품들입니다. 그렇기에 2014년부터는 어렵게 한 권씩 전통사경 교본 시리즈로 발행을 시작했으며 2017년 5권까지 발행한 이후 3년간 중단되었습니다.

시방삼세 제불보살님들께서 이를 매우 안타깝게 여기신 것 같습니다. 하여 덕문스님같이 전통사경 복원과 부활에 굳은 원력을 지니신 선지식과 선근인연을 맺어 주신 것 같습니다. 더하여 덕문스님께서는 고려시대 이후 700년 동안 단절되었던 사경원의 전통을 잇는 전통사경원을 개설하시면서 저에게 여법한 지도를 요청하시어 21C 한국 사경문화예술 부흥을 선도하심 또한 그러한 가피의 일환으로 여겨집니다.

大方廣佛華嚴経行願品

다길 김 경 호

선남자여, 항상 부처님을 본받아 배운다는 것은 무엇인가.

이 사바세계에 오시기까지 법신인 부처님께서 처음 발심한 때로부터 정진하여 물러나지 않으시고 수없이 많은 몸과 목숨을 보시하고 살갗을 벗겨 종이를 삼고 뼈를 쪼개 붓을 삼고 피를 뽑아 먹물을 삼아서 경전 사경하기를 수미산만큼 하였다. 부처님께서는

법을 소중히 여기셨기 때문에 사경을 위해 목숨도 아끼지 않았는데, 하물며……(하략)

〈대방광불화엄경 입부사의해탈경계보현행원품〉